Osez vous réconcilier avec la vie

Publié pour la première fois en Grande-Bretagne en 1996 par Hodder Mobius, une division de Hodder Headline, sous le titre *End the struggle and dance with life : how to build yourself up when the world gets you down*.
© 1996, Susan Jeffers, Ph. D.
Susan Jeffers affirme son droit moral à être identifiée comme l'auteur de cette oeuvre.
© Marabout (Hachette Livre), 2008, pour la traduction et l'édition française.
Traduction : Tina Calogirou en collaboration avec Sophie Boucher.

Susan Jeffers

Osez vous réconcilier avec la vie

Du même auteur

Tremblez mais osez!, Poche n° 3669, 2001.
Osez briser la glace, Poche n° 3673, 2002.
La Vie à bras-le-corps, Poche n° 3690, 2004.
La vie est immense!, Poche n° 3718, 2006.
Osez le grand amour!, Poche n° 3724, 2006.

À mon formidable mari,

MARK SHELMERDINE,

avec qui je veux danser
pour le restant de mes jours !

Sommaire

Remerciements...11

Voir au-delà des mauvaises nouvelles.................................13

PREMIÈRE PARTIE
ÉLEVEZ-VOUS AU-DESSUS DES NUAGES

1. Quelque chose de merveilleux au sein de votre être..........21

DEUXIÈME PARTIE
LIBÉREZ-VOUS

2. Lâchez prise..37

3. Redescendez de l'échelle qui mène au désespoir 47

4. Tremblez mais n'agissez pas!..73

5. Débarrassez-vous de votre excédent de bagages................91

6. Soyez confiant dans l'avenir 115

7. Laissez faire la vie… Tout se passera très bien 135

8. Sentez-vous en sécurité dans un monde dangereux 155

9. Trouvez la beauté au pays des larmes 165

TROISIÈME PARTIE
RÉCONCILIEZ-VOUS AVEC LA VIE

10. Concentrez-vous sur les richesses 191

11. Regardez en pleine conscience,
    regardez en profondeur...195

12. Éveillez-vous à l'abondance 209

13. Écoutez le silence..235
14. Adressez-vous au patron.................................249
15. Trouvez votre lieu de pouvoir.........................261
16. Dansez la danse de la vie.................................281
17. Allégez-vous grâce au rire et à la joie..............299
18. Faites confiance au Grand Dessein.................315

Désormais, rien ne saurait vous arrêter!...............339

Remerciements

Les personnes suivantes m'ont aidée à déposer les armes et à écrire ce livre. Je leur voue une reconnaissance éternelle.

Dominick Abel, mon agent littéraire qui me guide avec beaucoup d'humour et de sensibilité… et aussi avec succès ! Merci, Dominick.

Jennifer Enderlin, mon éditrice chez St. Martin's Press, dont l'enthousiasme et les encouragements me mettent du baume au cœur. Merci, Jennifer.

Tous ceux qui, dans le domaine de la psychologie « spirituelle », m'ont permis de découvrir une dimension totalement nouvelle de l'existence – du corps, du cerveau et de l'esprit. Merci, chers enseignants du passé et du présent. James Steen, W. Dean La Douceur, Edward Habib et Anita Gershman, qui ont tous apporté des contributions spéciales à ce livre. Merci, James, Dean, Edward et Anita.

Les hommes et les femmes dont les histoires ont donné tant de richesse et d'authenticité au contenu de ce livre. Merci, belles personnes.

Mes lecteurs, qui m'ont fait savoir que mes écrits ont amélioré leur existence. Quel cadeau ils m'ont fait ! Merci, chers lecteurs.

Leslie et Gerry Gershman, mes enfants ; Alice et Guy Shelmerdine, mes beaux-enfants ; et Meredith

Marshall, ma belle-fille. Tous, vous êtes une telle source d'énergie, de joie et d'amour dans ma vie. Merci, Leslie, Gerry, Alice, Guy et Meredith.

Marcia Fleshel, ma sœur et chère amie, avec qui je ris, je rêve, je réfléchis, j'apprends et je profite de la vie. Et, bien sûr, Jack, son mari, qui nous apporte à tous tant d'amour et de rires. Merci, Marcia et Jack.

Mark Shelmerdine, mon extraordinaire mari, qui continue à apporter des richesses incroyables à mon existence. Merci, mon très cher Mark.

travaille
dépose les armes
embrasse le flux
connais la félicité !

sj

Voir au-delà des mauvaises nouvelles

« La vie n'est jamais vraiment ce qu'elle paraît, Dieu merci ! »
(Bo Lozoff)

Le monde dans lequel nous vivons est un monde difficile.
Cela ne fait aucun doute. Et je suis certaine que vous avez
réfléchi aux questions suivantes, que tout un chacun se
pose.

Peut-on profiter de la vie dans un monde qui
ressemble de plus en plus à un combat ?

Comment pouvons-nous cesser de fournir perpétuellement des efforts, pour tirer du plaisir et du bonheur
de l'existence ?

Comment pouvons-nous rendre nos vies quotidiennes plus sereines, quand nous avons en permanence
le sentiment de foncer droit dans le mur ?

Comment pourrions-nous cesser de nous inquiéter,
alors que tant de menaces pèsent sur nous ?

---

1. Bo Lozoff, *Nous sommes tous dans une prison. Un guide pour se
libérer*, Cabedita, 1995.

Voilà des questions ardues! Dans le cadre de mon travail d'auteur, d'animatrice de séminaires et de conférencière, je suis amenée à voyager aux quatre coins du monde et partout, je constate que beaucoup d'êtres humains sont engagés dans un combat contre la vie. Même en l'absence de guerre, quand tout va bien, le combat se poursuit. Nous nous inquiétons, nous avons des obsessions et nous tentons sans relâche de contrôler tous les gens et toutes les choses qui nous entourent. Non seulement nous voulons contrôler le présent et l'avenir, mais nous cherchons vainement des moyens de réécrire le passé!

Nous aspirons à mener une vie plus paisible, à mieux maîtriser notre existence et à jouir davantage du quotidien, mais ces buts ressemblent à autant de rêves perdus depuis longtemps. La joie de vivre a disparu. Et notre amour de la vie s'estompe. Quelque chose ne tourne pas rond. Mais de quoi s'agit-il?

On pourrait croire que notre mal de vivre est en grande partie dû au marasme économique, à la criminalité galopante, aux maladies atroces, aux catastrophes écologiques et, sur un plan plus personnel, aux problèmes de couple, aux difficultés financières, à l'insatisfaction professionnelle, aux responsabilités familiales, etc. Il paraîtrait logique que toutes ces difficultés soient à l'origine de nos inquiétudes, de notre colère et de nos frustrations. En tout cas, nous avons là des explications toutes trouvées!

Et pourtant, tous ces événements potentiellement destructeurs pour l'âme sont-ils la véritable cause du combat que nous menons contre l'existence ? Incontestablement, ils constituent des difficultés à surmonter. Toutefois, il faut creuser davantage. Loin de moi l'idée de minimiser la détresse que connaissent ceux dont les maisons ont été détruites par un ouragan, ou qui sont touchés par la maladie, la pauvreté ou le stress de devoir subvenir aux besoins de leurs proches. Toutefois, si vous aimez observer le genre humain, comme moi, vous constaterez que les individus réagissent différemment à des situations susceptibles de les anéantir. Les uns succombent au désespoir, les autres font preuve de sérénité, ce qui est fascinant. Comment s'explique cette différence étonnante ?

Mes recherches sur ce sujet et mon expérience m'ont amenée à la conclusion suivante : ceux qui abordent la vie avec sérénité voient au-delà des mauvaises nouvelles. Ils maîtrisent l'art de danser avec la vie, pour se réconcilier avec elle. Pour moi…

Danser avec la vie, c'est flotter dans le flux de ses expériences, qu'elles soient bonnes ou mauvaises, avec un sentiment d'harmonie, de confiance, de gratitude et d'amour.

Vous vous dites que vous avez déjà du mal à flotter avec les bonnes choses de la vie, et que vous auriez bien du mal à apprendre à flotter avec les mauvaises ? Dans ce cas, vous tenez entre les mains l'ouvrage qu'il vous faut !

J'ai écrit *Tremblez mais osez!* pour vous aider à vous sentir plus fort face à vos peurs. Clairement, savoir gérer ses peurs est une composante essentielle d'une vie bien vécue. *Osez vous réconcilier avec la vie!* a été écrit pour vous aider avec un autre aspect, tout aussi important, de l'existence : rendre la vie plus légère au quotidien et y introduire davantage de joie, d'appréciation et de paix.

Ceux d'entre vous qui connaissent mon travail savent que mes enseignements sont en grande partie inspirés de mon parcours personnel. Cet ouvrage n'est pas une exception. Après avoir surmonté beaucoup de difficultés et avoir construit une vie qui, objectivement, était formidable, je continuais malgré tout à envisager l'existence comme un combat. Et ce sentiment de combat intérieur persistait, indépendamment des événements extérieurs qui survenaient ! J'ai cherché à comprendre pourquoi, ce qui m'a conduit à quantité de conclusions intéressantes sur ce qui rend la vie plus difficile ou plus facile. Dans ce livre, j'ai voulu partager mes réflexions avec vous.

Je vous propose de lire *Osez vous réconcilier avec la vie!* d'un bout à l'autre, une première fois. Puis revenez au début du livre, et appliquez, étape par étape, les concepts et les exercices dans votre vie quotidienne. Gardez toujours cet ouvrage à portée de main. J'ai reçu des dizaines de lettres de gens qui ont lu *Tremblez mais osez!* et qui me racontent que lorsque des peurs anciennes refont surface, ils ouvrent le livre, à n'importe quelle page, pour y trouver la force dont ils ont besoin.

Faites de même avec Osez vous réconcilier avec la vie ! Quand l'existence paraît épuisante et difficile, ouvrez ce livre, à n'importe quelle page – vous y trouverez de la légèreté et du calme. Parfois, un petit rappel de ce qui compte vraiment peut faire une immense différence.

J'ai beaucoup réfléchi à l'idée de réconciliation avec la vie, et je suis sidérée de constater combien les causes de nos contrariétés, petites et grandes, sont évidentes. Cela me fait penser à cet ancien dicton qui dit :

« La route est plane. À quoi bon jeter des cailloux devant soi ? »

Nous jetons tous des cailloux devant nous. J'ai appris une chose : il est très difficile de danser avec la vie sur une route pleine de cailloux. Alors, attelons-nous à la tâche et commençons à déblayer le chemin, pour ouvrir la voie à une vie plus joyeuse, plus paisible et plus riche !

PREMIÈRE PARTIE

Élevez-vous au-dessus des nuages

Quelque chose
de merveilleux au sein
de votre être

« Je me préparais au départ avec excitation, comme si ce voyage avait une signification mystérieuse. J'avais décidé de changer de mode de vie. "Jusqu'à présent", m'étais-je dit, "tu n'as vu que l'ombre, et elle t'a donné satisfaction. Maintenant, je vais te guider jusqu'à la substance." » (Nikos Kazantzakis, *Zorba le Grec*)

Sur mon bureau trône une statue en quartz rose, représentant un Bouddha qui sourit. Son visage affiche une expression d'extase, comme s'il était en train de se faire dorer au soleil. Est-il extatique parce qu'il est millionnaire ? Non. Dans une main, il tient un bol de mendiant, et dans l'autre il a un sac, qui contient toutes ses possessions. Est-il extatique parce qu'il est dans une forme olympique ? Non, il est loin d'être un dieu grec. Il a un ventre bedonnant et, indéniablement, un régime et un peu d'exercice lui feraient le plus grand bien ! Est-il extatique parce qu'il a une vie de couple épanouie ? Non, car il voyage seul. Alors, pourquoi cet homme aime-t-il autant la vie ?

À en croire la légende, il est extatique parce que, contrairement à la plupart de nos contemporains, il a découvert que la joie véritable dans la vie ne vient pas de la richesse, d'un corps de rêve, du couple ou d'autres éléments extérieurs. Il a découvert que la joie véritable vient de quelque chose de merveilleux au sein de notre être. Il sait que ce «quelque chose de merveilleux» est toujours là et toujours accessible. Par conséquent, il se sent libre, en sécurité, entier et authentiquement capable de prendre la vie à bras-le-corps. Faut-il reproduire le mode de vie du Bouddha souriant pour ressentir joie et paix? Faut-il se défaire de tous ses biens matériels, prendre du poids et voyager seul pour trouver le sourire? Non! À l'instar du Bouddha souriant, il faut parcourir les étapes nécessaires pour découvrir ce quelque chose de merveilleux à l'intérieur de notre être qui nous permettra de devenir des avocats souriants, des vendeurs souriants, des parents souriants, des scientifiques souriants, des ouvriers d'usine souriants ou quiconque de souriant.

Comment définir ce quelque chose de merveilleux à l'intérieur de notre être? Et comment l'intégrer à nos vies quotidiennes pour que, nous aussi, nous nous sentions libres, en sécurité, entiers et authentiquement capables de prendre la vie à bras-le-corps? Peut-être l'humour de cette citation d'un sage anonyme contient-il une piste de réflexion: «Homme oriental est très léger dans sa tête et très lourd dans son ventre, et il se sent en sécurité. Homme occidental est léger dans le ventre et très lourd dans la tête, alors il bascule.»

Voici mon interprétation de cette petite perle de sagesse : « l'homme oriental » renvoie à tous ceux qui ont été imprégnés par les enseignements orientaux de la spiritualité, porteurs d'équilibre et de paix. « L'homme occidental » se rapporte à tous ceux qui ont été marqués par les enseignements occidentaux selon lesquels la réflexion l'emporte sur la spiritualité, et la lutte sur la paix. C'est pourquoi les hommes occidentaux basculent : leurs convictions acquises les éloignent de la puissance et de la joie dont ils sont porteurs – ce quelque chose de merveilleux au sein de leurs êtres.

En chacun de nous, il existe un lieu qui est la source de toutes les qualités divines, comme l'amour, la compassion, l'intuition, la force, l'appréciation, la joie, la félicité et la gratitude. Lorsque nous vivons dans cet endroit merveilleux, que j'appelle le MOI SUPÉRIEUR, nous intégrons à notre être nombre de qualités du Bouddha qui sourit. Nous sommes libres d'apprécier ce que la vie a de meilleur à offrir, la paix et le rire remplissent nos cœurs. Nous sortons de l'ombre pour découvrir la substance d'une vie bien vécue.

Nous sommes nombreux à éprouver des réticences à explorer le chemin qui mène au moi supérieur, à la partie spirituelle de notre être. Si nous résistons, c'est pour différentes raison.

On associe souvent à tort spiritualité et religion organisée. En réalité, la religion organisée nous éloigne parfois de notre facette spirituelle. Par exemple, lorsqu'elle nous demande de juger et d'exclure d'autres êtres humains pour leurs convictions, différentes des nôtres.

Beaucoup de gens ne parviennent pas à croire qu'ils sont davantage que ce qu'ils pensent être. Par conséquent, ils restent englués dans la négativité émanant de la partie la plus basse de leur être.

Beaucoup de gens ne parviennent tout simplement pas à comprendre qu'il peut y avoir d'autres manières d'envisager le monde qui les entoure, prisonniers qu'ils sont d'une mentalité qui les incite à penser que ce qu'on ne peut voir n'existe pas.

Ces réticences sont parfaitement compréhensibles, car nous avons été conditionnés à voir le monde sous un angle extrêmement limité. Un vieux proverbe yiddish dit : «Pour le ver qui vit dans un radis, le monde entier est un radis.»

Malheureusement, nous sommes nombreux à ressembler à ce ver du radis! Nous n'envisageons le monde qu'à travers le filtre de notre conditionnement. Sans en avoir conscience, nous avons été formés pour nous faire du mauvais sang et pour nous battre, par une société qui croit inculquer des enseignements justes, mais qui ne comprend pas les fondements d'une vie bien vécue. Et c'est ainsi que nous nous retrouvons à nous inquiéter et à nous battre. Nous sommes nombreux à aller consulter des psychologues. Si la psychothérapie traditionnelle peut nous apprendre à nous adapter au monde dans lequel nous vivons, trop souvent, elle ne nous apprend pas à nous élever au-dessus des nuages, à sortir du radis!

Je me souviens du jour où le voyage qui m'a fait sortir du radis a débuté et où ma nouvelle vie a commencé. J'ai le sentiment que c'était hier. Pourtant, cela s'est produit en 1972. Je venais de divorcer, après de nombreuses années de mariage, et j'avais décidé de partir en voyage en Espagne – un grand pas en avant! J'essayais de prendre du bon temps, mais l'essentiel de mon être était dominé par la peur. Je me sentais si loin de chez moi, si loin de la sécurité, réelle ou supposée, que j'avais ressentie pendant tant d'années de mariage…

Un matin, j'ai décidé d'aller visiter l'Alhambra, un site magnifique du patrimoine espagnol. Il était tôt le matin et l'air était frais. Je me suis trouvée toute seule, dans un jardin magnifique, à admirer le spectacle qui s'offrait à mes yeux. La tristesse provoquée par mon divorce ne parvenait à ternir le spectacle somptueux: la ville magnifique, les montagnes au loin et les rayons du soleil traversant les nuages qui se dissipaient.

Je suis restée là un moment, jouissant profondément du magnifique spectacle qui s'offrait à moi, captivée par le silence de cette matinée. C'est alors que quelque chose s'est produit, quelque chose qui m'a fait quitter le domaine de l'expérience ordinaire, pour me transporter dans une nouvelle dimension de l'être. Soudain, je me suis sentie baignée par les rayons d'une lumière glorieuse, tandis que je me fondais à la magnificence de ce qui m'entourait. Je suis devenue partie intégrante d'un tout, à un niveau cellulaire profond. Je ne faisais qu'un avec l'Univers tout entier. J'ai éprouvé un exquis sentiment de sécurité, de paix et d'harmonie – le sentiment sublime que tout allait bien dans mon monde, maintenant et pour toujours.

L'état de félicité dans lequel j'ai été transportée est au-delà des mots. Il n'a duré que quelques instants précieux, puis d'autres visiteurs sont arrivés, brisant mon lien avec le sublime. J'ai été ramenée à ma vision ordinaire des choses. Toutefois, la profondeur de cette expérience a changé ma vision du monde à tout jamais.

Pour la toute première fois, j'ai compris qu'il y avait une dimension de mon être (la substance plutôt que l'ombre) dont je n'avais jamais eu connaissance jusqu'à présent, une partie transcendante de mon être capable de toucher l'énergie divine de l'Univers. C'était un lieu de paix extraordinaire, une paix qui faisait défaut à mon Univers en proie à la lutte. Tous mes problèmes personnels, liés à l'argent, à l'amour, aux enfants, au travail, aux impôts et à l'état du monde me sont apparus comme des détails insignifiants dans un monde qui était TELLEMENT plus que cela.

Je n'ai pas su faire perdurer cet état de transcendance de l'être au-delà de ce court instant, mais il m'a beaucoup appris.

J'ai appris que ce que je croyais être la totalité de mon être n'était qu'une partie infinitésimale d'un tout beaucoup plus vaste.

J'ai appris qu'il y avait des dimensions de mon être auxquelles je n'avais jamais eu accès et que je n'avais jamais explorées.

J'ai appris que même en étant prisonnière du mélodrame de ma vie quotidienne, il y avait une autre manière de m'envisager dans ce monde.

Par essence, j'ai appris qu'il y avait bien plus à voir… pour peu que je réussisse à m'extraire du radis !

Grâce à cette initiation stupéfiante à une autre manière d'être en ce monde, j'ai compris que le moment était venu de m'arrêter, de me regrouper et d'entamer un nouveau périple sur un chemin différent, un cheminement menant à un paradis sur terre, au lieu d'une existence dont la devise est «Souffre et meurs». Depuis cette journée extraordinaire, qui s'est déroulée voici plus de vingt ans, ce cheminement a été la clé de voûte de mon existence. Il m'a conduit à quantité d'endroits merveilleux (et difficiles d'accès !) à l'intérieur et à l'extérieur de mon être.

De nombreuses autres personnes ont connu des expériences comparables – j'ai appris plus tard qu'on parlait d'expériences paroxystiques – qui ont changé leurs vies. Dans les années 1960, le psychologue Abraham Maslow a réalisé des études sur un groupe d'individus en bonne santé, et il a découvert que plusieurs d'entre eux disaient avoir connu des expériences mystiques de ce type, des moments d'enchantement et de transport si intenses qu'ils faisaient disparaître toutes les peurs et toutes les séparations. Ces gens ont parlé de la sensation de ne faire qu'un avec l'Univers.

Il a découvert aussi que les expériences paroxystiques n'arrivent pas à tout le monde, et qu'il est impossible de les susciter. Elles semblent tomber du ciel. En réalité, tenter de les provoquer est le meilleur moyen de ne pas y arriver ! Il a également constaté qu'elles sont rarement liées à la religion. Certaines sont provoquées par des moments forts liés à l'amour et au sexe, à une belle musique, à la nature, à des moments de créativité, à la méditation, à des loisirs comme la pêche, et même à des moments de crise. Il a constaté que si ces expériences ne touchent pas tout le monde (au demeurant, elles ne sont pas nécessaires pour vivre une vie extraordinaire), elles sont beaucoup plus courantes qu'il ne le pensait.

Ce n'est que récemment que ces expériences spirituelles ont fait leur apparition dans les conversations quotidiennes et dans la conscience des gens. Jusqu'alors, les gens hésitaient à en parler, craignant d'être catalogués de fous. Aujourd'hui, la majorité des êtres humains aspirent à savoir que leur être comporte véritablement une partie spirituelle. Le concept de « spiritualité » est désormais sur toutes les lèvres : sur celles de banquiers, d'enseignants, de militaires, de prisonniers, de femmes au foyer, d'avocats, dans tous les segments de la société. C'est une excellente chose ! Cela signifie que la société tout entière s'extirpe du radis, pour accéder à un monde plus beau.

Fort heureusement, les individus que nous sommes n'ont pas besoin d'attendre que la société dans son ensemble change. Et nous n'avons pas besoin d'attendre une expérience paroxystique pour nous projeter dans le monde de l'esprit. Nous pouvons entamer le cheminement en direction de ce quelque chose de merveilleux au sein de notre être, tout de suite, là où nous sommes, et avec les outils à notre portée. Il suffit pour cela de prendre conscience que la vie est autre chose que le rythme auquel la plupart d'entre nous mènent leurs existences aujourd'hui (impossible de sortir du radis si on ne sait pas qu'on s'y trouve !). Une fois que la prise de conscience a eu lieu, le périple vers le moi supérieur peut commencer, et l'existence peut devenir plus vaste, pour recouvrir un monde comportant d'infinies possibilités.

Pour vous donner une motivation forte, qui vous incitera à faire de ce périple une partie fondamentale de votre vie, laissez-moi vous dire :

Ajouter une dimension spirituelle à tout ce que nous faisons est essentiel pour déposer les armes et se réconcilier avec la vie. Notre corps et notre cerveau ne peuvent nous conduire au-delà d'un certain point. Notre esprit, en revanche, peut nous faire parcourir tout le chemin qui mène à l'endroit où nous serons chez nous.

Je suis convaincue que c'est l'éloignement des choses spirituelles qui provoque cet intense sentiment de lutte, dans les bons moments comme pendant les mauvais. Coupé de la part spirituelle de son être, l'individu constate que la paix est absente de sa vie ou, dans le meilleur des cas, éphémère.

Focalisée sur les choses matérielles, notre société ne nous a pas appris à intégrer la spiritualité à notre vie quotidienne. En réalité, ce qu'elle nous enseigne sur les choses de l'esprit est rare. Toutefois, cela ne nous empêche pas d'apprendre par nous-mêmes. Je me souviens avoir pris l'avion par temps très couvert. L'avion est monté, toujours plus haut, en traversant le brouillard et des nuages très denses. Le ciel était très sombre et lugubre, presque effrayant. À un moment, les nuages ont commencé à se dissiper, et soudain, l'avion a pénétré dans la lumière glorieuse du soleil. Il était difficile de croire que, pour atteindre un endroit baigné d'une telle clarté et d'une telle lumière, il suffisait de s'élever au-dessus des nuages…

Je me suis dit qu'il s'agissait d'une superbe métaphore de la manière dont beaucoup d'entre nous vivent leurs vies. La plupart du temps, nous sommes plongés dans le brouillard et dans la lourdeur, sans comprendre qu'il suffit de s'élever au-dessus des nuages. C'est précisément cela que la transcendance au niveau du moi supérieur permet de faire – transcender l'anodin pour se concentrer sur ce qui est véritablement merveilleux dans l'existence.

Il existe quantité de moyens d'entrer en contact avec le moi supérieur, avec la partie spirituelle de notre être. L'une des anecdotes les plus exquises à ce propos vient de Ram Dass[1]. Au début des années 1970, il s'adres-

---

1. Ram Dass, *Finding and Exploring Your Spiritual Path*, Audio Renaissance Tapes, 1989.

sait à une salle remplie d'enfants du Flower Power, nombreux à avoir trouvé leur éveil spirituel avec des drogues psychédéliques. La plupart d'entre eux étaient habillés en blanc, portaient des fleurs autour du cou et souriaient beaucoup. Avec sa longue barbe et ses perles, Ram Dass allait parfaitement dans le décor.

Alors qu'il regardait son public, une femme d'un certain âge, installée au premier rang, a retenu son attention. Ses chaussures richelieu, son petit chapeau orné de fausses cerises et son sac en faux cuir noir détonnaient dans le décor. En l'écoutant, elle hochait la tête en signe d'approbation. Plus son discours devenait ésotérique et délirant, plus elle hochait la tête.

Une fois son discours terminé, la femme est venue le voir pour le remercier abondamment pour la sagesse de ses propos, et pour lui dire combien tout ce qu'il venait de dire coïncidait avec sa propre expérience de l'Univers. Totalement dérouté, il lui a demandé : « Comment savez-vous tout cela ? Qu'avez-vous fait qui a pu vous donner ce type d'expériences en dehors du monde ? » Elle s'est penchée en avant pour lui dire en chuchotant, d'un ton de conspiratrice : « Je fais du crochet. »

C'est alors qu'il a compris que de nombreux chemins mènent au même but. Son chemin à elle, pour arriver à un état de spiritualité ou de transcendance, c'était le crochet. Je parierais que votre chemin pour atteindre la partie spirituelle de votre être n'est pas le crochet (ni les drogues psychédéliques !). Cependant, il existe quantité de chemins simples, pleins de joie, qui transformeront votre vie pour vous conduire à votre moi supérieur, et nombre d'entre eux sont présentés dans cet ouvrage. Peu importe où vous en êtes dans l'itinéraire de votre vie : il y a toujours quantité de choses à explorer dans votre être. Tout au long de notre existence, nous avons la possibilité d'en découvrir toujours davantage sur ce «quelque chose de merveilleux» au sein de notre être.

Quand j'étais petite, mon père disait souvent : «La vie est une masse d'ennui, entrecoupée de quelques moments exquis.» Pauvre papa! Il ne savait pas que la vie peut être très différente. Et, pendant de nombreuses années, je l'ai cru – mais ce n'est plus le cas aujourd'hui. J'aimerais qu'il soit encore là, afin que je puisse lui expliquer qu'il se trompait, et que même avec les larmes inhérentes à l'existence, la vie peut être une masse de moments exquis, entrecoupés de quelques moments d'ennui. Et je pourrais lui montrer comment intégrer davantage de moments exquis à sa vie. Malheureusement, il n'est plus de ce monde. En revanche, vous, vous l'êtes! Et j'ai écrit chacun des chapitres qui suivent pour intégrer des moments exquis de plus en plus nombreux à votre vie.

La partie suivante explique comment vous LIBÉRER – comment vous défaire des nombreux actes et convictions qui vous maintiennent dans la lutte. La dernière partie montre comment EMBRASSER l'existence – comment saisir la beauté et la richesse incroyables de votre vie que vous n'aviez quasiment pas remarquées jusqu'à présent. Une fois que vous aurez appris à vous libérer de l'obscurité pour embrasser la lumière, vous saurez tout ce qu'il faut pour déposer les armes et vous réconcilier avec la vie.

Vous remarquerez alors un phénomène très étrange : à chaque fois que vous vous regarderez dans la glace, vous y verrez se refléter le visage extatique du Bouddha qui sourit. Vous aurez découvert ce quelque chose de merveilleux au sein de votre être qui, en définitive, constitue la seule véritable quête de l'être humain !

Cela n'arrivera pas du jour au lendemain. Mais à chaque étape, vous constaterez une amélioration de votre vie, petit à petit. Alors que son pays était sous occupation chinoise, un lama tibétain a traversé l'Himalaya à pied. Lorsqu'on lui a demandé comment il avait accompli un périple aussi difficile, il a répondu : « C'est très simple. En faisant un pas après l'autre. » C'est tout ce qu'il suffit de faire : un pas après l'autre. Soyez bon avec vous-même. Entamez le périple dès aujourd'hui.

DEUXIÈME PARTIE

Libérez-vous

CHAPITRE 2

Lâchez prise

« Une vieille femme à qui on demandait pourquoi elle était toujours joyeuse a répondu : "Eh bien, je porte ce monde comme un vêtement ample." » (Anonyme)

Quelle image magnifique – porter ce monde comme un vêtement ample… Voici les idées qui me sont venues à l'esprit lorsque j'ai lu cette phrase pour la première fois :

LIBRE
FACILE
CONFORTABLE
DOUX
SOUPLE
FLUIDE
DANSER

En fait, c'est ainsi que nous avons tous envie de porter la vie. Or, pour la plupart d'entre nous, elle fait figure de corset : serrée, dure, rigide, inconfortable et entravant nos mouvements. Oh, comme nous aspirons à ôter ce corset pour respirer profondément et librement ! Oh, comme nous aspirons à nous défaire de tout ce qui nous maintient dans la lutte et nous empêche de nous élever au-dessus des nuages! Porter le monde comme un vêtement ample, cela signifie :

– lâcher prise et couper la corde qui nous retient prisonniers ;

– ne pas s'en tenir rigoureusement à la manière dont les choses sont «supposées» se passer ;

– être confiant : tout va bien et la vie se déroule à la perfection ;

– discerner le potentiel d'amour et de développement que recèle toute expérience, bonne ou mauvaise ;

– reconnaître que l'on peut faire face au flux et au reflux de l'existence depuis un lieu placé sous le signe de l'harmonie et non de la lutte.

Qu'est-ce qui nous empêche de porter le monde comme un vêtement ample ? Qu'est-ce qui nous enserre avec rigidité ?

En cherchant la réponse à ces interrogations, nous avons trop souvent tendance à regarder autour de nous et à rejeter la faute sur «tout ce qui ne va pas» dans nos vies et dans notre monde. Généralement, il y a beaucoup de choses qui ne vont pas. «Si seulement il n'y avait pas ceci», «Si seulement cela était différent»…

Fort heureusement, notre vision du problème commence à changer. Il y a de plus en plus de livres qui suggèrent que notre incapacité à lâcher prise et à profiter de la vie n'a rien à voir avec des circonstances extérieures, mais bien avec ce qui se passe à l'intérieur de nous. Nous nous éveillons à l'idée que lorsque tout ne va pas bien dans notre monde extérieur, quelque chose ne va pas bien à l'intérieur de notre être.

Dans notre incapacité à lâcher prise, quelque chose suggère une addiction au contrôle. Ken Keyes Jr., auteur et animateur d'ateliers, décrit ainsi les symptômes de l'addiction:

1. Elle crée des tensions dans votre corps.

2. Elle suscite en vous des émotions séparatrices, comme le ressentiment, la colère et la peur, et non des émotions unificatrices, permettant de se sentir accepté, aimé et rempli de joie.

3. Votre cerveau vous souffle qu'il faut que les choses changent pour que vous puissiez profiter de la vie, ici et maintenant.

4. Votre cerveau vous pousse à croire qu'il y a quelque chose d'important à gagner ou à perdre dans cette situation.

5. Vous avez le sentiment qu'il y a un «problème» dans votre vie – au lieu de ressentir la vie comme un «jeu» amusant à jouer[1].

Tout cela vous paraît étrangement familier? Il est possible que vous ayez une addiction au contrôle – dans ce cas, sachez que vous n'êtes pas le seul!

La bonne nouvelle, c'est que les addictions se surmontent. Nous ne sommes pas obligés de vivre une vie contrôlée par notre besoin de tout contrôler! On peut

---

1. Ken Keyes Jr., *Bonjour bonheur*, Vivez soleil, 2005.

tout à fait apprendre à lâcher prise et donc à aborder la vie de manière plus confortable, douce, souple et fluide – en bref, à porter le monde comme un vêtement ample.

Par où commencer ? À mon sens, toutes les addictions sont une fonction du MOI INFÉRIEUR. Voici ce qu'est le moi inférieur :

Le moi inférieur est une partie de notre être qui a été très mal élevée et qui croit que le seul moyen de survivre est d'être insensible aux sentiments des autres.

Le moi inférieur est la partie de notre être qui a intégré les enseignements de notre société et qui, par conséquent, est prisonnière de l'engrenage du «plus-toujours plus-encore plus».

Le moi inférieur a entendu toutes les mises en garde et il est convaincu que le monde nous veut du mal.

Le moi inférieur se comporte en parent craintif qui n'a pas confiance en notre aptitude à gérer toutes les menaces de notre vie.

Le moi inférieur n'a pas de vision et ne comprend pas qu'il y a des enseignements à tirer de tous les événements de la vie, qu'ils soient bons ou mauvais, pour notre plus grand profit.

Pour toutes ces raisons, dès qu'un signe de menace extérieure se profile, qu'elle soit réelle ou imaginaire, le moi inférieur déclenche automatiquement un besoin de contrôle.

Par conséquent, pour faire face à son addiction au contrôle, il faut se défaire des tactiques du moi inférieur associées à la peur et s'élever au niveau du moi supérieur, la partie spirituelle de notre être, où nous trouvons la véritable sécurité. Nous découvrons que :

Le moi supérieur est le site de toutes les émotions positives, comme l'amour, la puissance, la créativité, la joie, la satisfaction et l'abondance.

Le moi supérieur sait que nous avons la force de faire face à tous les événements de notre existence.

Le moi supérieur ne perçoit pas le monde extérieur comme une menace mais comme un lieu d'apprentissage, de développement et de contribution.

Le moi supérieur a une vision extraordinaire et il peut nous guider là où nous avons besoin de conduire nos vies.

Le moi supérieur sait que tous les événements de la vie, bons au mauvais, peuvent être utilisés comme un enseignement bénéfique.

En cas de menace extérieure, qu'elle soit réelle ou imaginaire, le moi supérieur nous apaise et nous assure que tout va bien. Par conséquent, nous ne ressentons pas le besoin de nous protéger, de nous défendre, d'ériger des remparts et de nous cramponner à des poches de sécurité imaginaires. Nous n'avons pas besoin de contrôler tout ce qui nous entoure et tous ceux qui nous entourent. Dans le domaine du moi supérieur, l'individu peut se dire :

Tout va pour le mieux. Quoi qu'il arrive, je saurai gérer. J'en tirerai des leçons. Et je vais en faire un triomphe !

Je sais que les sceptiques trouveront le concept du moi supérieur et du moi inférieur difficile à intégrer. C'est votre cas ? Alors, passez en revue les événements de votre vie. Vous verrez qu'il y a des moments où tout était un combat et où vos émotions étaient dominées par la peur. Et qu'à d'autres moments, tout était fluide, et vous étiez en paix. Je dis tout simplement que les premiers étaient des moments associés au moi inférieur, tandis que les seconds l'étaient au moi supérieur[1].

Dans ce contexte, je suis sûre que vous conviendrez avec moi que la clé, pour déposer les armes et se réconcilier avec la vie, c'est de créer dans votre vie autant de moments que possible relevant du moi supérieur, quels

----

1. Si vous ne trouvez pas de moments relevant du moi supérieur en passant en revue les événements de votre existence, PAS D'INQUIÉTUDE ! Utilisez régulièrement les outils fournis ici, et ces moments commenceront à faire leur apparition.

que soient les événements survenant dans votre monde extérieur.

Les outils que je fournis pourront vous aider à accomplir ce bond vers le haut. Et vous verrez combien il est libérateur de laisser son moi inférieur derrière soi !

Le paradoxe inhérent à notre désir de contrôler tous les événements et toutes les personnes autour de nous, c'est qu'en réalité, très peu de choses en ce monde sont contrôlables. Même lorsque nous croyons contrôler quelque chose ou quelqu'un, nos efforts sont vains. La vérité, c'est que :

La seule chose que l'être humain peut contrôler, ce sont ses réactions à ce qui se passe dans sa vie.

Et au final, que pourrait-il y avoir de plus puissant que cela ? Quiconque contrôle ses réactions peut être malmené par le monde environnant et préserver malgré tout une sensation de paix intérieure.

J'adore l'histoire de ce moine face à un guerrier furieux qui lui dit : « Tu ne sais donc pas qui je suis ? Je suis quelqu'un qui peut te couper la tête sans sourciller ! » Le moine le regarde droit dans les yeux et lui répond calmement : « Tu ne sais donc pas qui je suis ? Je suis quelqu'un qui peut te laisser lui couper la tête… sans sourciller ! » Voilà le summum du contrôle de ses réactions face aux événements de la vie, l'apogée de l'art de porter la vie comme un vêtement ample !

La plupart d'entre nous n'atteignent pas le degré ultime d'illumination de ce moine dépourvu de peur, mais nous pouvons malgré tout apprendre les principes de paix intérieure qu'il a mis au jour. Et nous pouvons commencer à nous défaire de nos exigences addictives et à flotter dans le courant des événements de notre existence sur lesquels nous n'avons que peu, voire aucun contrôle.

On voit combien il est essentiel d'apprendre l'art de lâcher prise pour déposer les armes et se réconcilier avec la vie. Il est impossible de devenir un Bouddha souriant en étant compulsif, obsessionnel, angoissé et dépourvu de confiance. Le moi inférieur est une prison qui nous empêche d'explorer les chemins conduisant à l'épanouissement. Nous croyons nous protéger en tentant de contrôler tout ce qui nous entoure, mais nous savons désormais qu'il s'agit d'un leurre. Passons en revue différents domaines de notre existence, pour découvrir comment nous défaire de notre addiction au contrôle en nous élevant au-dessus des exigences addictives du moi inférieur, pour atteindre le niveau authentiquement puissant du moi supérieur. En lisant ces pages, réfléchissez attentivement à votre propre existence et interrogez-vous sur la manière dont vous pourriez adapter mes suggestions à votre vie. Vous découvrirez qu'en appliquant le lâcher prise à toutes les facettes de votre vie qui posent problème, vous vous sentirez automatiquement plus léger et vous respirerez plus facilement. Souvenez-vous que :

Si vous jouissez de la liberté extérieure sans pour autant vous élever au-dessus du niveau du moi inférieur, vous ne vous sentirez jamais libre. En revanche, si vous possédez la liberté intérieure et si vous arrivez à vous élever au-dessus du niveau du moi inférieur, vous vous sentirez toujours libre – en dépit des événements qui surviennent à l'extérieur !

Votre paix intérieure n'a rien à voir avec les drames de votre existence (quel soulagement !). Une fois que vous aurez découvert le chemin conduisant à votre moi supérieur, le Bouddha à l'intérieur de vous commencera authentiquement à sourire !

CHAPITRE 3

Redescendez de l'échelle
qui mène au désespoir

« Toute sa vie, l'homme se démène pour arriver en haut de l'échelle — et lorsqu'il y parvient, il découvre qu'elle est appuyée contre le mauvais mur ! » (Anonyme)

Voilà une idée qui donne la chair de poule ! On passe toute sa vie à grimper à une échelle, avant de se rendre compte, un beau jour, qu'elle repose contre le mauvais mur ! Se pourrait-il que l'auteur de cette phrase pleine de sagesse décrive ce qui arrive à tant d'individus de nos jours ? J'ai bien peur que oui ! Réfléchissez un peu à ceci :

Si notre échelle était appuyée contre le bon mur, chaque échelon gravi nous permettrait de nous sentir plus joyeux, plus épanouis, plus heureux, plus légers, plus tout.

Oui, nous serions engagés dans un processus permettant de déposer les armes et de nous réconcilier avec la vie ! Mais regardez autour de vous : les luttes, la peur, la souffrance, la frustration et le vide sont omniprésents. À chaque échelon que nous gravissons, nous nous retrouvons souvent surmenés, tracassés et tiraillés dans tous les sens, recevant peu en retour. Nos enfants sont perdus et désorientés. Les couples vont mal. Nous vivons dévorés par un sentiment de manque, en dépit de tout ce que nous accumulons. Fatigués, en colère, certains d'entre nous jettent l'éponge, jugeant l'ascension trop difficile.

Alors, quel est donc ce mur terrible contre lequel nous avons appuyé notre échelle, qui provoque tant de détresse? Il s'agit, bien sûr, du mur qui mène à la RÉUSSITE. Dès notre plus jeune âge, nous sommes conditionnés, par ceux qui tiennent à nous, à GRIMPER À L'ÉCHELLE DE LA RÉUSSITE. C'est ce qu'on nous inculque, dans tous les pays où la réussite est déterminée par des richesses matérielles. Grimper à l'échelle de la réussite devient quasiment un acte patriotique. Comme tous les bons petits garçons et les bonnes petites filles, nous avons entamé notre ascension. Et depuis, nous n'avons cessé de grimper. Malheureusement, tous ces efforts n'apportent que peu de satisfaction et peu de joie. Le rêve serait-il en train de tourner au cauchemar?

Combien d'entre vous se sont mariés et ont eu des enfants, en pensant être heureux? Puis vous avez constaté que vous n'étiez pas heureux… Combien d'entre vous ont fait les études qu'ils voulaient, en pensant qu'ils allaient être heureux? Mais vous n'étiez pas heureux… Combien d'entre nous ont obtenu le job souhaité, les revenus souhaités, l'homme ou la femme souhaité(e), le poids souhaité, le divorce souhaité, en croyant qu'ils seraient heureux? Mais ils n'étaient pas heureux… Combien de fois avez-vous atteint un objectif dont vous avez rêvé, avant de constater que vous en vouliez davantage ? Vous avez gagné plus, avant de réaliser que cela ne suffisait pas. Qu'il vous en fallait davantage. Et puis vous avez gagné davantage, et ce n'était pas assez. Il vous en fallait plus, plus, toujours plus.

La vérité, c'est que nous pourrions continuer éternellement à grimper à l'échelle de la réussite, sans jamais trouver la joie et la satisfaction à laquelle nous aspirons tous. Même ceux qui arrivent tout en haut sont frappés par la vérité de la question d'Alfie, devenue culte :

« Des beaux vêtements… une voiture… mais à quoi bon[1] ? »

Quel est le but de tout cela ? Il apparaît clairement que le but n'est pas celui auquel nous pensions ! L'échelle menant à la réussite s'est transformée en échelle menant à la détresse ! Forts de ce constat, que pouvons-nous faire ?

Je pense qu'à la base du problème, il y a notre définition actuelle de la RÉUSSITE. Trop souvent, elle se définit par l'obtention de la richesse, d'une position sociale élevée, d'une certaine respectabilité, etc. Cela paraît louable, voire noble. Cependant, cette définition comporte trois failles majeures.

1. L'accent est mis exclusivement sur le résultat final. On s'intéresse uniquement à l'objectif, sans parler de la qualité de vie durant l'ascension de l'échelle. Peut-on

---

1. Bill Naughton, *Alfie*, Paramount Pictures, 1966.

encore parler de réussite lorsqu'on renonce à une vie équilibrée et épanouie pour courir après la richesse, le statut social, les honneurs etc.? Lorsqu'on sacrifie son couple? Ou lorsqu'on va mal tout au long de l'ascension? À mon sens, non. La réussite est douloureuse lorsqu'elle s'inscrit dans une vie vide.

2. L'accent est mis sur la concurrence plus que sur le partenariat. La concurrence érigée en mode de vie suscite un sentiment d'aliénation par rapport aux autres. Résultat: nous ressentons ce qu'on nous a toujours asséné comme une vérité universelle: nous vivons dans un monde sans merci. Et vivre dans un monde sans merci ne génère pas un sentiment de paix! La réussite est douloureuse pour qui se réveille chaque matin avec un nouveau combat à mener.

3. L'accent est presque exclusivement mis sur la richesse extérieure. Notre échelle actuelle menant à la réussite fait fi des richesses intérieures – paix, joie, compassion, amour, appréciation et gratitude – autant d'émotions nécessaires pour déposer les armes et se réconcilier avec la vie. La réussite est douloureuse lorsqu'on est en état de faillite spirituelle et qu'on n'est pas en mesure d'apprécier ce que la vie apporte.

Tous ces constats négatifs s'expliquent par le fait que les principes fondamentaux de la réussite telle que nous la connaissons aujourd'hui sont fermement ancrés dans la sphère du moi inférieur. Comme le moi inférieur repose sur la peur, il recherche le contrôle à tout prix. L'individu qui agit au niveau du moi inférieur ne parvient pas à voir les choses sous un angle plus vaste. Il n'arrive pas à voir le soleil qui brille au-dessus des nuages. La peur l'incite à agir au niveau le plus bas de son être. Le comportement que nous affichons en grimpant à l'échelle de la réussite n'est généralement pas beau à voir! Et on se demande pourquoi tant de gens ont une mauvaise estime d'eux!

De toute évidence, les enseignements de la société occidentale concernant la réussite comportent plusieurs omissions dérangeantes, source de bien des souffrances chez les êtres humains et dans le monde. L'écrivain Walter Cooper ne mâche pas ses mots à ce sujet: «À aucun moment de l'histoire de l'Humanité, autant d'âmes n'ont été à tel point trahies spirituellement par la pollution culturelle dans laquelle elles vivent[1].»

Peut-être cette critique cinglante est-elle justifiée? Réfléchissez-y. La structure de notre société garantit quasiment notre lutte avec la vie. Dès notre naissance, nous entamons ce que le guide spirituel Ram Dass appelle notre «formation pour devenir quelqu'un[2]». Pour

---

1. Walter Cooper, *Shards: Restoring the Shattered Spirit, Deerfield Beach*, Floride, Health Communications, 1992, p. 125.
2. Ram Dass, *Who Are You?*, Arlington, Virginie, The Soundworks. Dans *Dare to Connect*, j'explique comment notre «formation pour devenir quelqu'un» entame notre confiance

devenir « quelqu'un », il faut une vie remplie d'argent, de pouvoir, de reconnaissance, de beauté, de distinctions, de récompenses et de toute autre forme extérieure d'identité susceptible de nous convaincre – et de convaincre autrui – que ce que nous sommes est « suffisant ». Au cours de ce combat visant à remplir notre existence de toutes ces choses, nous sommes chassés de notre centre, là où résident la puissance et l'amour. Et nous nous retrouvons prisonniers de l'engrenage sans fin du

> *plus-encore plus-toujours plus...*
> *plus-encore plus-toujours plus...*
> *plus-encore plus-toujours plus...*
> *plus-encore plus-toujours plus...*
> *plus-encore plus-toujours plus...*
> *plus-encore plus-toujours plus...*

C'est un véritable combat. Dès notre plus jeune âge se crée une dépendance à ce processus. Chaque réussite arrachée dans l'engrenage du « plus-encore plus-toujours plus »... s'apparente au « shoot » du drogué. Seulement, l'effet de ces « shoots » ne dure jamais bien longtemps et, rapidement, le manque se fait sentir à nouveau. Coincés

---

en nous, lorsque nous essayons de nous rapprocher d'un autre être humain dans le cadre d'une relation amoureuse, amicale ou professionnelle. Je propose une solution beaucoup plus intéressante.

dans l'arène du moi inférieur, et non dans celle du moi supérieur, nous n'avons jamais le sentiment d'avoir assez, ni d'être assez.

Être prisonnier de l'engrenage du «plus-encore plus-toujours plus» est la garantie de se retrouver dans un état d'épuisement physique, psychique et mental. Et malheureusement,

Loin de nous donner le sentiment d'être quelqu'un, l'ascension de l'échelle de la réussite nous donne le sentiment de n'être personne. Nous perdons totalement de vue ce «quelque chose de merveilleux au sein de notre être». CE QUI, EN BREF, EST L'ÉCHEC DE LA RÉUSSITE TELLE QUE NOUS L'ENTENDONS AUJOURD'HUI.

D'une certaine manière, nous sentons bien que quelque chose ne va pas avec ce modèle. Pourtant, notre addiction nous pousse à continuer. Quelle que soit l'absence de bonheur que cette définition actuelle de la réussite génère, nous continuons à nous conformer aux règles de la société du «plus-encore plustoujours plus»; nous continuons à croire que la concurrence est la seule manière de fonctionner; nous continuons à chercher toutes nos sources de joie et de satisfaction à l'extérieur de nous. Et nous ne voyons jamais la lumière au bout du tunnel. Malgré tout, nous continuons à emprunter ce même tunnel, toujours et encore, sans explorer d'autres possibilités. Ce que je cherche à vous suggérer, c'est que…

IL Y A PEUT-ÊTRE UNE MEILLEURE VOIE!

Le simple fait que vous soyez en train de lire ce livre indique que vous vous posez cette question fondamentale : « Est-ce que la vie se résume à cela ? » Cela signifie que vous êtes prêt à sortir du radis de votre conditionnement et à vous ouvrir à la possibilité qu'il existe une autre voie ; vous êtes prêt à élargir les dimensions de votre être pour englober ce qui est réellement sublime dans l'existence ; vous êtes prêt à déplacer votre échelle pour l'appuyer contre un autre mur !

Par où faut-il commencer, pour se défaire de son addiction destructrice au « plus-encore plus-toujours plus » et pour embrasser des voies plus fructueuses et plus porteuses de bonheur ? Je vous propose, pour commencer, de chercher une nouvelle définition de la RÉUSSITE, qui pourrait ressembler à ceci :

LA RÉUSSITE, c'est vivre une vie pleine et équilibrée en partenariat avec les autres, pour donner naissance à un sentiment joyeux d'amour, de contribution, d'appréciation et d'abondance, quelle que soit la tournure que prennent les événements de l'existence.

(Je me demande si cette définition figurera un jour dans les dictionnaires !). Cette définition toute simple foisonne de dons émanant du moi supérieur, pouvant transformer une vie de combat en vie de joie. Lorsque l'on grimpe à l'échelle menant à une réussite définie par la spiritualité, la vie prend une signification nouvelle : on s'éloigne alors de l'aliénation amenée par la concurrence, pour s'immerger dans les bienfaits du partenariat ; et on se met à cultiver des valeurs intérieures reflétant les trésors de puissance et d'amour qui se cachent en nous. Par définition, notre échelle est appuyée contre le bon mur !

Dans ce chapitre, nous allons explorer les différents dons du moi supérieur. Vous verrez qu'avec cette nouvelle définition, réussir prendra un sens totalement différent.

Concentrez-vous sur le processus plutôt que sur le résultat

LA VIE EST FORMIDABLE ! LA VIE EST UNE SOURCE DE JOIE ! Quiconque se focalise exclusivement sur les objectifs qu'il s'est fixés passe à côté de la richesse et de la chaleur de la vie MAINTENANT. Nous attendons en permanence le grand moment où nos objectifs, nos rêves, nos désirs et nos aspirations se réaliseront. Ce qui est la meilleure garantie d'une existence qui se résume à une masse d'ennui entrecoupée de quelques moments exquis. Quel gâchis !

Comprenez-moi bien : je ne suis pas en train de prôner une vie sans objectifs, ni rêves, ni désirs, ni aspirations. Ils ajoutent une certaine richesse à l'existence. Toutefois, notre bonheur ne doit pas dépendre de leur accomplissement. Pourquoi renoncer à vivre une vie riche tant que ces objectifs ne sont pas atteints ? Pourquoi ne pas embrasser la totalité de la vie LÀ, MAINTENANT ? À quoi bon attendre un instant de plus ? Et lorsque nous atteignons quelques-uns de nos objectifs, avec délice, ils représentent un bonheur supplémentaire, et non la substance de notre existence. De la même manière, il n'y a rien de catastrophique à ne pas atteindre certains de nos objectifs. Nous aurons vécu des moments formidables pendant le processus !

Les derniers chapitres de cet ouvrage présentent plusieurs chemins extraordinaires pour apprendre l'art d'embrasser la vie MAINTENANT, mais permettez-moi, pour commencer, de préparer le terrain. Tout d'abord, vous pouvez initier le processus consistant à vous focaliser sur le MAINTENANT en vous créant une existence si EXTRAORDINAIRE que l'absence ou la perte d'une de ses facettes ne vous anéantira pas. De toute évidence, lorsque l'on a une vie aussi riche, l'issue de nos différents projets perd quelque peu de son importance. Quel soulagement !

Alors, qu'est-ce donc qu'une vie EXTRAORDINAIRE ? C'est une vie comptant de nombreuses facettes qui ont toutes la même importance. Parmi ces composantes, on trouve le travail, la famille, les amis, les loisirs, le développement personnel, l'engagement pour la collectivité, les relations avec les autres, du temps pour soi, et tout autre élément contribuant à ce que vous, vous entendez par une vie riche. Nous sommes nombreux à avoir des vies qui comptent ces diverses composantes, mais souvent, nous les négligeons, en nous démenant pour atteindre des objectifs que nous nous sommes fixés. Par conséquent, la partie essentielle de ma définition d'une vie extraordinaire est: «qui ont toutes la même importance».

Quiconque se concentre uniquement sur la réalisation d'objectifs situés dans l'avenir vit par définition une vie de pauvreté. Lorsqu'on vit dans le PRÉSENT, en accordant la même importance à TOUS les domaines de l'existence, la vie devient EXTRAORDINAIRE, et on ressent l'abondance!

Accorder la même importance à toutes les facettes de son existence, cela signifie, bien évidemment, que l'on s'engage à 100 % dans tous les aspects de sa vie, en leur accordant l'attention et le soin qu'ils méritent – ce qui revient à dire qu'on accorde la même priorité à tous ces domaines, SACHANT QUE TOUT EST IMPORTANT! Ce faisant, nous commençons à pénétrer dans le domaine du moi supérieur, et une transformation magnifique s'opère.

Nous devenons plus grands que nous ne pensions l'être, en découvrant que nous sommes davantage que des objectifs, des résultats, des distinctions, etc.

Nous ne sommes pas anéantis lorsque les événements ne se passent pas comme nous l'aurions voulu.

Nous prenons conscience de l'incroyable richesse de notre vie.

Nous réalisons qu'il y a tant de choses dont nous pouvons être reconnaissants.

Plus important, nous comprenons que nos objectifs font partie du jeu de la vie, mais qu'ils ne sont pas toute notre vie.

Dès lors, la vie permet de remarquer, jour après jour, combien le cercle autour de notre être est vaste. Toutes nos priorités étant désormais placées sur un pied d'égalité, nous nous sentons épanouis…

Quoi que nous fassions : passer une heure à parler avec un enfant, prendre une décision importante à la tête d'une grande entreprise, planter de belles fleurs dans le jardin, écrire un livre, laver la vaisselle, faire du bénévolat et trouver des fonds pour une cause qui nous tient à cœur, aider un ami à surmonter une période difficile, lire un livre, admirer un coucher de soleil, allumer un feu de cheminée, cuisiner un bon repas ou QUOI QUE CE SOIT D'AUTRE !

Dans ce contexte, les expériences dites ordinaires de la vie quotidienne deviennent des moments exquis. Elles sont la substance même de la vie. En contraste, les objectifs qu'on se fixe n'ont pas trait à la substance, mais à l'ombre. Ils sont des événements possibles du futur, mais ils n'ont rien à voir avec le MAINTENANT. Par définition, une vie remplie uniquement d'objectifs lointains paraît vide MAINTENANT. Une fois de plus, il est important d'avoir des objectifs mais… NOTRE VIE N'EST PAS NOS OBJECTIFS ! C'EST CE QUI SE PASSE MAINTENANT !

Quiconque accorde la même importance à toutes ses priorités est sur la bonne voie. Tous les aspects de la vie sont importants et il faut en profiter. Ils méritent tous notre engagement et notre implication. Nous comprenons que…

Nous ne sommes pas de simples machines cherchant à atteindre une destination. Non, nous sommes des cœurs et des âmes, reliés de manière vibrante à tout et à tous ceux qui nous entourent, à chaque moment de chaque journée!

Je pense qu'il faut intégrer une plus grande part de spiritualité à notre vie quotidienne. Contrairement à ce que l'on croit souvent, la spiritualité n'incite pas l'être humain à se retirer du monde, mais au contraire à s'insérer plus pleinement dans le monde – à être connecté, plein de joie et d'abondance.

Je sais que placer toutes ses priorités sur un pied d'égalité n'est pas aisé. En réalité, on peut même avoir le sentiment, dans un premier temps, qu'il s'agit d'une contradiction en soi. Pourtant, c'est la clé pour parvenir à briser les chaînes d'une addiction puissante à nos projets situés dans l'avenir.

Paradoxalement, vous constaterez peut-être avec étonnement qu'à mesure que vous vous déferez de votre fixation obsessionnelle sur vos objectifs, vous arriverez à les atteindre plus facilement et sans effort. Les gens qui profitent pleinement de leur vie, qui abordent l'issue de leurs projets de manière détendue et dont émane une aura d'expansion et d'appréciation dégagent quelque chose de magnétique. Ils donnent le sentiment d'attirer automatiquement à eux les meilleures choses de la vie.

Une fois de plus, tout est dans la prise de conscience. Mettez-vous des petits mots partout, en évidence, qui disent tout simplement que… TOUT EST IMPORTANT!

Vous constaterez que l'ennui cédera la place à une masse de moments exquis. Et au fond, tout n'est-il pas dans l'accumulation de moments exquis?

Dites non à l'aliénation induite par la concurrence

Par définition, la poursuite du «plus-encore plus-toujours plus» instaure une atmosphère de concurrence épuisante et destructrice pour l'âme. Pour se défaire de ce besoin de dépasser, de surpasser et de supplanter tout le monde, il suffit d'intégrer à son vocabulaire quotidien un petit mot très important:

ASSEZ!

ASSEZ: ce mot étonnant atténue le pouvoir du «plus encore plus-toujours plus». Il implique un sentiment de plénitude et de bien-être. Lorsqu'à la fin d'un repas exquis, on dit «J'ai assez mangé», cela signifie qu'on est repu et satisfait. On ne recherche pas le «plus-encore plus-toujours plus». Le mot ASSEZ possède de la puissance. Une fois intégrée l'idée d'ASSEZ au plus profond de soi, on peut commencer à se détendre et à sentir le parfum des roses. Permettez-moi de vous citer un exemple pour illustrer mon propos.

Voici quelque temps, j'ai prononcé un discours, lors d'un symposium qui durait une journée. Trois autres orateurs figuraient au programme, des auteurs renommés d'ouvrages de développement personnel. Au moment où j'allais monter sur la scène pour m'adresser aux trois mille personnes du public, mon niveau d'adrénaline était au maximum. Mon mari, Mark, m'a embrassée sur la joue et il m'a glissé à l'oreille : «Tu es la meilleure ! »

Par le passé, j'avais adoré cette phrase, j'avais même besoin de l'entendre ! Mais cette fois-ci, quelque chose n'allait pas. J'ai soudain pris conscience des conséquences négatives de cette quête d'être « la meilleure ». Elle crée des tensions ; elle crée une aliénation par rapport aux autres intervenants ; et elle m'éloignait du dessein de mon moi supérieur, qui était d'aider les autres. Comprenant cela, j'ai chuchoté à l'oreille de Mark : «Merci pour ton amour et pour ton soutien, mais la prochaine fois, dis-moi simplement : «Tu vas être suffisamment bonne.» Débarrassée de ce besoin d'être la meilleure, je suis montée sur la scène, confiante, forte de la conviction que ma seule intention était de donner de l'amour à ce monde, et non de concurrencer d'autres personnes s'efforçant elles aussi de mettre de l'amour dans le monde.

On dit souvent que la concurrence est nécessaire pour permettre à chacun de devenir plus performant. Je ne suis pas d'accord avec cette idée et je ne suis pas la seule[1]. Dans ce cas précis, soulagée du poids de devoir être la meilleure, j'ai pu établir un lien avec mon public, plus fort que je ne l'avais jamais fait. J'étais dans le flux, j'étais à l'aise. J'étais là simplement pour donner ce que j'avais à donner... par amour, et non par peur de ne pas être la meilleure. Débarrassée du besoin de concurrencer les autres, j'ai prononcé le meilleur de mes discours jusque-là. Alors, qu'on ne vienne plus me dire que la concurrence est nécessaire pour accroître la performance !

Vous verrez malgré tout que le désir irrésistible d'être le (la) meilleur(e) se manifestera constamment, à mesure que différentes situations se produiront dans votre vie. Notre conditionnement est extrêmement puissant. Il va falloir désapprendre des années d'endoctrinement pour sortir de l'engrenage du «plus encore plus-toujours plus». Or, à mesure que l'on se défait du besoin d'être le meilleur, on constate que la performance ne diminue

---

1. Dans son ouvrage passionnant *No Contest: The Case Against Competition* (Boston, Houghton Mifflin, 1986), Alfie Kohn explique que toutes les études réalisées sur ce sujet ont démontré que la concurrence n'améliore pas la performance, mais qu'elle la diminue. C'est le partenariat et la coopération qui donnent les meilleurs résultats.

pas, mais qu'au contraire elle s'améliore, tandis que la peur, la cupidité et le sentiment de manquer s'estompent.

Attention : je n'ai pas dit que la concurrence ne peut induire l'excellence. Elle le peut. Seulement, la concurrence telle que nous la connaissons aujourd'hui nous rend fous et nous démoralise. À quoi bon prendre ce risque et vivre dans la privation de spiritualité, alors qu'il existe d'autres chemins ? L'excellence découle aussi de la conviction toute simple que vous avez un but et un sens supérieur dans ce monde, quelle que soit la forme qu'ils prennent. Cette conviction nous donne de la paix et de la confiance en soi. En plus :

Lorsque nous sommes habités par le sentiment d'avoir un but et un sens supérieur, notre «performance» est inégalée.

L'idée que la concurrence est nécessaire pour accroître nos capacités s'inscrit dans le droit fil de la trahison spirituelle du moi inférieur. À mesure que nous nous défaisons du besoin de concurrencer les autres, nous devenons authentiquement libres d'aller au-delà des limites que nous nous sommes nous-même imposées.

Vous vous demandez peut-être si cette idée peut s'appliquer à un contexte aussi intrinsèquement lié à la concurrence que le sport. Je crois que oui. Certes, dans une certaine mesure, l'idée de la victoire comme unique objectif a pénétré l'ensemble du monde sportif. Il suffit de regarder la violence et la malveillance présentes sur les terrains de sport de nos enfants, bien éloignées de la noblesse originelle des jeux Olympiques. Blessures graves, violence, colère, autoflagellation et même décès sont monnaie courante. Pourtant, j'ai souvent entendu dire que le sport apprend la coopération. S'il reste sans doute des endroits où c'est le cas, cela n'est plus vrai de manière générale. Le titre d'une émission de télévision de CNN consacrée au sport en 1994 est très révélateur : *Field of Screams* («Le Champ des cris»).

J'ai été très touchée par la lettre écrite par James W. Steen, entraîneur canadien et ancien sportif de niveau international. Cet homme s'engage pour lutter contre les dommages subis par les enfants, et les futurs adultes qu'ils sont, en raison de l'obsession contemporaine de leurs aînés de GAGNER à tout prix. Adressée au ministre canadien chargé du sport amateur, cette lettre plaidait pour la nécessité de rétablir les seules valeurs susceptibles de justifier, à ses yeux, le financement public du sport : «Nous voyons des enfants âgés de huit à dix ans à qui on hurle, alors qu'ils se battent sur des terrains conçus pour des sportifs de haut niveau : "VAS-Y, Joey!", "POUSSE, Joey!", "GAGNE, Joey!", "Il faut en vouloir, Joey!". Les petits Joey n'en veulent pas, mais ils se battent vaillamment, sans aucune technique ni savoir-faire, pour surpasser la force de leurs corps immatures. La honte de l'échec semble être la seule force motrice. Nous avons tous vu les plus hautes instances officielles assister à ces absurdités – voire à ces maltraitances – sans broncher. Cette obsession de la victoire ne peut que se traduire par une défaite sur tous les fronts.»

Souvenez-vous que ces paroles viennent d'un sportif de haut niveau, animé d'un amour authentique du sport, qui continue à participer à des compétitions et qui entraîne aussi bien des enfants que des sportifs de haut niveau dans des coupes du monde. Il poursuit :

«Plus que toute autre discipline, le sport permet aux plus jeunes d'apprendre que leur concurrent sur le "champ d'honneur" n'est pas un adversaire, mais un partenaire, et que l'objectif n'est pas de le battre, mais de faire ressortir ce qu'il y a de meilleur en l'un et en l'autre, afin de grandir ensemble, avec générosité, honnêteté, loyauté et respect[1].»

De nos jours, le monde du sport est devenu un lieu triste, en proie aux comportements destructeurs et violents, dictés par le moi inférieur – un lieu où l'honneur a été oublié depuis bien longtemps. Je suis sûre que vous connaissez des exemples où ce constat ne s'applique pas. Mais dans l'ensemble, le monde du sport n'est plus en phase avec les idéaux du moi supérieur, selon lesquels on s'affrontait dans un esprit d'amélioration mutuelle. Il serait merveilleux de pouvoir transformer cet univers, afin de lui rendre sa magnificence susceptible de rendre la vie meilleure.

Peut-être le sport n'est-il que le reflet de ce qui se passe partout ailleurs. Dans l'administration, dans les affaires,

---

1. Tous mes remerciements à James W. Steen de m'avoir permis de vous présenter ses idées extraordinaires.

dans le monde de l'éducation et au sein des familles, l'objectif de gagner à tout prix est prioritaire (même au prix de tricheries et de violences si nécessaire). Résultat : PERSONNE NE GAGNE. Tout le monde perd, sur tous les fronts. Nous en payons le prix fort, avec des sentiments de lutte intense et, à terme, une estime de soi entamée. Entièrement focalisés sur l'objectif de la victoire, nous passons à côté de la vie et de l'amour.

Il me semble essentiel d'apprendre à transformer le terrain des perdants et des gagnants en champ d'honneur, dans toutes nos entreprises. S'il est vrai que nous ne pouvons pas changer le monde (du moins, pas tout de suite !), nous pouvons entamer un processus destiné à nous extraire du bourbier de la concurrence néfaste, telle qu'elle existe aujourd'hui. En envisageant les « adversaires » comme des alliés, dans l'univers des sports, de l'entreprise ou ailleurs, le monde se dote d'une énergie différente. Face au défi amical lancé par un « partenaire » talentueux, nous nous concentrons davantage sur le développement de nos compétences. Nous alignons la totalité de ce que nous sommes – corps, cerveau et esprit – pour faire ressortir le meilleur de nous. Lorsque cela fonctionne, nous devenons d'authentiques alliés qui s'aident mutuellement à améliorer leurs compétences, et c'est toute l'énergie du jeu de la vie qui s'en trouve modifié. À ce jeu, il n'y a plus de perdants, mais seulement des gagnants.

J'ai entendu des joueurs de tennis expliquer qu'ils adorent jouer contre de très bons adversaires. Qu'ils sortent gagnants ou perdants du match, ils jouent mieux. Leurs adversaires deviennent leurs alliés. Dans ce type de contexte, nous savons que nous en faisons assez. Nous jouons le jeu de la vie, non pas avec obsession, mais avec un cœur rempli d'amour et avec le désir de faire au mieux de nos possibilités. Pour moi, c'est de cela qu'il s'agit sur le champ d'honneur.

La joie provient de l'amélioration de nos capacités. L'être humain n'est pas fait pour être apathique. Il est fait pour fonctionner. Il est fait pour remplir le monde d'amour et d'excellence, quel que soit le domaine qu'il a choisi. Lorsque nous attaquons notre adversaire sur son point le plus faible, c'est que nous n'avons pas véritablement le sentiment que ce que nous sommes est suffisant. Dans ces moments-là, nous devons nous répéter la phrase suivante :

CE QUE JE SUIS EST SUFFISANT.
CE QUE JE SUIS EST SUFFISANT.
CE QUE JE SUIS EST SUFFISANT.
CE QUE JE SUIS EST SUFFISANT.
CE QUE JE SUIS EST SUFFISANT.

En apprenant simplement à intégrer la notion d'ASSEZ à notre vocabulaire, nous parviendrons à atténuer quelque peu la pression à laquelle nous sommes soumis, et notre combat avec la vie deviendra aussitôt moins virulent.

Se concentrer sur la joie intérieure et sur la satisfaction

La définition que les dictionnaires donnent de la réussite ne parle pas d'amour, de joie, de contribution, d'appréciation et d'abondance – autant d'indicateurs intérieurs d'une vie bien vécue. L'être humain occupé à cultiver les éléments extérieurs de sa vie ne fait rien pour cultiver l'intérieur. Une fois de plus, je ne considère pas que la réussite extérieure est une mauvaise chose. Simplement, lorsqu'on se concentre exclusivement sur l'extérieur, on perd l'essence d'une vie bien vécue et on s'écarte de l'un des principaux piliers de la puissance de l'être humain : sa magnificence spirituelle.

Notre société ne nous apprend pas à utiliser la puissance de notre part spirituelle : une puissance considérable. C'est la force cachée qui permet de soulever une voiture le jour où un être cher est coincé en dessous. C'est la force cachée qui se fait jour lorsque nous traversons des périodes vraiment difficiles, dont nous sortons enrichis. Cette part spirituelle recèle une sagesse bien plus importante que tout ce que nous aurions pu imaginer et peut nous conduire précisément là où nous devons aller – pour peu que nous écoutions cette voix.

Comme nous n'avons pas appris à utiliser cette puissance cachée en nous, nous nous sentons souvent faibles et dépassés par les événements.

Si nous pouvions entraîner le muscle qui nous relie au moi supérieur, nous retrouverions notre force et la vie ne relèverait pas autant du combat.

En outre, il n'y aurait pas une telle addiction aux gratifications extérieures. Et nous ne serions pas ballottés, comme une marionnette au bout d'un fil, lorsque quelque chose ne va pas bien dans le monde qui nous entoure. Nous aurions un havre de paix vers lequel revenir, toujours et encore, un endroit qui nous donnerait la conviction qu'à un niveau supérieur

TOUT SE PASSE POUR LE MIEUX.

Ce lieu de paix est toujours là, en dépit de tout ce qui se passe dans le monde extérieur. Il est là lorsque les affaires ne vont pas bien. Lorsque les enfants tombent malades. Lorsque nous avons des difficultés financières. Il est là, en dépit de toutes les difficultés (et de toutes les joies) que la vie nous réserve. Forts de la conviction profonde que ce lieu de paix est toujours là et que nous savons le trouver, nous aurons, par définition, nettement moins le sentiment que la vie est un combat.

Par conséquent, dans notre nouvelle définition de la RÉUSSITE, l'ascension de l'échelle recouvre définitivement le fait de savoir embrasser la puissance et l'amour que nous portons en nous. Nous ne dépendons plus de ce qui se passe dans le monde extérieur. Nous avons trouvé notre ancre, dans une mer tumultueuse.

Bo Lozoff nous rappelle que tous les événements du monde sont des «accessoires». J'aime bien cette image. Quiconque n'est en quête que d'accessoires se sent vide. C'est lorsque nous recherchons la substance intérieure que nous commençons à nous sentir satisfaits et heureux. La bonne nouvelle, c'est que toutes les expériences, bonnes ou mauvaises, peuvent servir à trouver la substance intérieure. En réalité, il arrive même que ce soient les expériences les plus éprouvantes qui accélèrent le processus. Dans les moments vraiment difficiles, vers quoi peut-on se tourner si ce n'est vers l'intérieur? Utiliser les moments les plus difficiles comme outils du développement spirituel sort l'individu de son statut de victime (un statut terrible!) pour le placer dans la position de créateur de sa propre expérience de la vie. Comme c'est puissant!

Permettez-moi de clore ce chapitre avec une métaphore intéressante. On raconte que les chasseurs de singes, en Inde, ont une technique infaillible pour capturer leurs proies. Ils creusent un trou dans une noix de coco, dans lequel ils placent des friandises. Le trou est suffisamment grand pour que le singe puisse y glisser sa main vide, mais pas assez gros pour pouvoir la ressortir une fois qu'elle est pleine. La noix de coco est ensuite fixée au sol.

Très vite, un singe découvre la noix de coco. Il passe la main dans le trou pour prendre les friandises avant de constater qu'avec la main pleine, il est coincé. Deux possibilités s'offrent à lui: soit il refuse de lâcher les friandises et il se fait capturer, soit il les lâche et il retrouve la liberté. Quelle est la solution choisie par les singes ? Ils décident de ne pas lâcher et de se faire prendre ! Même s'ils ne pourront jamais savourer leurs friandises, les singes refusent de les lâcher. Résultat : ils perdent la vie ! L'illusion du goût exquis de ces délices les conduit à leur perte.

En lisant cette histoire, j'ai été frappée par l'analogie avec les êtres humains, nombreux à faire de même. L'illusion durable de la satisfaction qu'apporteront des choses extérieures finit, à terme, par anéantir la qualité de notre existence. Elle nous empêche de vivre une vie de joie. Il est temps d'ouvrir la main et de lâcher les « bonbons » pour mener une existence valant vraiment la peine d'être vécue, une vie remplie de moments exquis.

CHAPITRE 4

Tremblez
mais n'agissez pas !

« Ne vous contentez pas d'agir, octroyez-vous aussi des moments d'inactivité ! » (Un workaholic « repenti »)

J'ai écrit le livre *Tremblez mais osez !* pour toutes ces situations où l'action apporte beaucoup de joie et de satisfaction, une fois qu'on a réussi à surmonter ses peurs. Peut-être aurait-il été préférable d'intituler ce livre *Tremblez mais n'agissez pas !*, pour toutes ces situations où l'inaction apporte de la joie et de la satisfaction – une fois qu'on a surmonté ses peurs !

Vous vous demandez peut-être ce qu'il peut y avoir d'effrayant à ne PAS agir. Pour tous ceux qui souffrent des deux addictions que j'aborderai dans ce chapitre – le WORKAHOLISME (qui se définit par le besoin d'être perpétuellement occupé) et le PERFECTIONNISME – NE PAS AGIR est extrêmement difficile. Pour réussir à déposer les armes et à se réconcilier avec la vie, il est essentiel d'apprendre à lâcher prise face à ces deux problèmes. Permettez-moi de vous livrer quelques pistes.

Lâchez prise et renoncez
à votre addiction au travail

Le terme de «workaholisme» tel que je l'utilise ici décrit un besoin obsessionnel d'être occupé, au détriment d'une vie épanouie et équilibrée. Le workaholic laisse ce besoin obsessionnel prendre le pas sur le temps qu'il accorde à sa famille et à ses amis, à son développement personnel, aux moments d'inactivité et aux plaisirs.

Parmi les workaholics, on trouve des actifs, mais aussi des ménagères qui ont le sentiment de ne jamais en faire assez, des retraités qui mettent leur réveil à six heures du matin pour «travailler» à leurs loisirs, des vacanciers qui semblent prendre du bon temps mais qui n'arrivent pas à penser à autre chose qu'à leur travail ou qui surchargent leur emploi du temps pendant ces quelques jours précieux de liberté, et toutes ces autres personnes souffrant du syndrome du «plus encore plus-toujours plus». Dans toutes ces situations,

L'addiction au workaholisme transforme la vie en combat!

En dépit de tous les dommages qu'il provoque, le workaholisme reste considéré comme une «addiction positive». Alors que le workaholic se démène, passant à côté de l'essence de la vie, le monde applaudit. C'est même la seule addiction dont on se vante parfois! Mais existe-t-il vraiment des addictions positives? Je ne le crois pas. Dans la mesure où toute forme d'addiction est un produit du moi inférieur, elle génère un combat et entame notre paix intérieure.

Indéniablement, le workaholisme est le fruit d'un dysfonctionnement. Cette addiction de plus en plus courante peut tuer. Les hôpitaux sont remplis de gens malades de leur incapacité à octroyer du repos à leurs corps et à leurs esprits épuisés. Souvent, les seules vacances que le workaholic s'autorise sont une hospitalisation. L'une de mes amies qui est workaholic doit subir une intervention chirurgicale, ce qui l'enchante au plus haut point : elle va enfin pouvoir souffler un peu ! On m'a rapporté un autre cas, plus choquant encore, d'un workaholic qui s'est mis à profiter de la vie lorsqu'on lui a annoncé que ses jours étaient comptés. Pourquoi ? Tout simplement parce qu'il n'avait plus besoin de se battre. On le voit, il y a définitivement quelque chose qui ne va pas dans ce mode de fonctionnement.

Certaines personnes pensent gérer leur addiction au travail en recourant à diverses techniques antistress. Bien que moi-même adepte de nombre de ces techniques, je pense que, dans le cas présent, elles ne règlent pas le problème, qui est le surmenage. Au contraire : elles ne font que donner davantage d'énergie pour continuer à travailler. Loin de soigner l'addiction, ces techniques antistress offrent un faux espoir de guérison.

Pourquoi sommes-nous aussi nombreux à sombrer dans le workaholisme ? Quantité de raisons sont avancées pour expliquer pourquoi nous travaillons autant. En y regardant de plus près, on constate toutefois qu'elles sont fausses. Par exemple, nous sommes nombreux à croire qu'il faut travailler, travailler, et travailler encore, pour réussir dans la vie. Or, on dit qu'Albert Einstein travaillait le matin et passait la plupart de ses après-midi à faire de la voile. Je pense qu'on peut dire qu'Einstein a réussi dans la vie ! On pourrait citer quantité d'autres exemples de personnes qui ont réussi et qui n'étaient pas workaholics. Par conséquent, notre addiction au travail n'a peut-être rien à voir avec la réussite.

Certains d'entre nous pensent qu'il faut être workaholic pour bien gérer une entreprise. Toutefois, des études ont démontré que les personnalités compulsives, compétitives, sous tension et n'ayant pas un angle de vision large n'arrivent pas à voir la forêt cachée par les arbres. Loin d'améliorer leur créativité et leur productivité, ce rythme forcené leur nuit. Par conséquent, notre addiction au travail n'a peut-être rien à voir avec la gestion d'une entreprise...

D'aucuns croient qu'il faut être workaholic pour subvenir aux besoins de sa famille. Il y a effectivement des gens, notamment des parents isolés, qui doivent travailler dur pour joindre les deux bouts – mais cela ne fait pas d'eux des workaholics pour autant. Ils travaillent parce que les circonstances les y obligent, non parce qu'ils sont mus par un besoin malsain. Le workaholic éprouve un besoin compulsif de travailler, même lorsqu'il gagne suffisamment d'argent. Par conséquent, notre addiction au travail n'a peut-être rien à voir avec le fait de nourrir sa famille...

Certains d'entre nous croient qu'il faut être workaholic pour avoir une maison bien «tenue». Une maison bien tenue est-elle un endroit où tout est immaculé et géré avec rigidité? Ou bien est-ce un endroit confortable, où l'on se sent à l'aise et dont les habitants sont détendus sans être animés par le désir de tout contrôler? Pour ma part, je plaiderais plutôt pour la seconde hypothèse! Par conséquent, notre addiction au travail n'a peut-être rien à voir avec le souhait d'avoir une maison bien «tenue»…

Je pourrais continuer ainsi à vous citer quantité d'idées fausses, très répandues, expliquant pourquoi on est workaholic. Mais permettez-moi plutôt de vous exposer les véritables raisons. À mon sens,

Le workaholisme est une drogue, une échappatoire, qui permet de regarder ailleurs pour ne pas être confronté à sa souffrance intérieure, à un intense sentiment de vide, à un manque d'estime de soi, à une recherche d'identité, à une obsession de la quête du «plus-encore plus-toujours plus», à une incapacité d'entretenir avec les autres des relations profondes ou à une peur de ne pas avoir assez ou de ne pas être assez.

Relisez les quelques lignes qui précèdent. Rien d'étonnant qu'on ait envie d'échapper à cela!

Rien d'étonnant à ce qu'on ait envie de dissimuler son aspiration à une vie plus pleine de sens. Comme le tourbillon qui se cache sous la surface des choses est puissant! Lorsqu'il n'est pas absorbé par son travail, le workaholic est contraint de se poser les questions suivantes : « Qui suis-je ? Que suis-je ? Pourquoi suis-je ? Lorsque je ne suis pas totalement occupé, totalement dans l'action ? » Malheureusement, nous avons trop peur d'explorer les réponses à ces interrogations profondes. Résultat : nous nous privons de la possibilité de découvrir la magie, les merveilles et l'immensité des parties inexploitées de notre être. Nous avons des coups de fil à passer, des rendez-vous à honorer, des projets à faire avancer... Nous sommes occupés, occupés, occupés.

Ce faisant, nous nous sentons tellement vertueux, sans nous rendre compte que nous nous mentons, à nous et à tous ceux qui comptent pour nous. Et comme si cela ne suffisait pas, malgré tout le travail que nous abattons, nous n'avons jamais le sentiment d'avoir « terminé ». Il y a toujours quelque chose de plus qui « doit » être fait. Et même lorsque nous avons de l'avance sur le planning, nous avons le sentiment lancinant d'être à la traîne, de rater des possibilités qu'il faudrait saisir, de ne pas contacter des gens que nous devrions contacter. Quel stress !

Comment faire pour apaiser ces eaux tourmentées ? Comment faire pour apprendre à se sentir en paix avec soi-même ? Comment se sortir de son addiction au travail ? Comme je l'ai dit précédemment, le remède à toute addiction consiste à s'extraire du bourbier du moi inférieur pour trouver un lieu de paix au sein du moi supérieur.

Une solution efficace pour gérer une addiction consiste à suivre l'un des nombreux programmes en douze étapes qui s'offrent à nous, reposant tous sur des principes spirituels. Ces différents programmes d'entraide découlent tous d'un programme originel en douze étapes, celui des Alcooliques Anonymes (AA). De nos jours, on trouve quantité de groupes de « quelque chose anonymes » consacrés à la codépendance, à la drogue, au jeu, au sexe, etc. Il n'est donc pas étonnant qu'il existe aussi un programme en douze étapes pour les Workaholiques Anonymes[1]. Pour l'individu prisonnier de l'engrenage infernal du travail, la participation au programme des Workaholiques Anonymes est un moyen d'entamer le processus de guérison.

Une autre solution consiste à intégrer des pratiques spirituelles à sa vie quotidienne. Là encore, ces pratiques n'ont pas forcément besoin d'avoir des connotations religieuses. Elles font partie des outils qui aident l'individu à être connecté à son moi supérieur – à ce lieu de force intérieure, de puissance intérieure et d'amour intérieur. J'ai décrit quantité de ces pratiques dans mes précédents ouvrages et vous en découvrirez d'autres dans la troisième partie de ce livre. Toutes ces pratiques spirituelles visent à permettre à la voix apaisante du moi supérieur d'entrer dans notre conscience tout en faisant

....

1. NdT : Workaholics Anonymous, association créée en 1983 à New York pour les accros au travail.

taire les bavardages destructeurs du moi inférieur. À mesure que le moi supérieur prend davantage d'importance dans notre vie, nous apprenons à lever le pied et à vivre une vie plus équilibrée, plus enrichissante. Souvenez-vous que…

Le moi inférieur punit, le moi supérieur récompense.

Pourquoi aurait-on envie d'écouter les messages du moi inférieur ?

Une autre étape importante pour se défaire de son penchant au workaholisme, c'est d'apprendre à dire NON ! Comme je l'expliquerai au chapitre 7, l'un de mes outils préférés pour déposer les armes et se réconcilier avec la vie est de « dire OUI à l'Univers » – ce qui, dans le cas présent revient à dire OUI au fait de savoir dire NON ! Dans un premier temps, répondre NON lorsqu'il y a une tâche à accomplir peut être anxiogène. C'est normal ! TREMBLEZ MAIS OSEZ DIRE NON ! Très rapidement, vous réaliserez que notre motivation pour accomplir la plupart des tâches repose moins dans l'accomplissement de celles-ci que dans le fait de se sentir plus important, plus désiré ou plus rassuré. Aïe ! Une fois que vous aurez rompu avec l'habitude destructrice de chercher à faire plus que ce que vous pouvez faire confortablement, vous respirerez, soulagé !

Dans le même esprit, passez en revue votre emploi du temps d'un œil critique. Tous ces rendez-vous sont-ils vraiment nécessaires ? Ou bien, si vous êtes un homme ou une femme au foyer, est-ce que tout ce qui figure sur votre liste de choses à faire est vraiment si important ? J'aime beaucoup cette citation de Gore Vidal : « Rien n'est plus avilissant que le travail de ceux qui s'appliquent à faire bien ce qui ne vaut pas la peine d'être fait. »

Voilà une idée qui donne à réfléchir ! Ce qu'il suggère, c'est que nous nous humilions en perdant du temps à faire des choses qui n'ont pas besoin d'être faites ! Bien sûr, si on prend du plaisir à « faire bien ce qui ne vaut pas la peine d'être fait », il ne s'agit pas d'une perte de temps. Mais si on le fait par obligation, au détriment d'une vie équilibrée, alors on se ment à soi-même.

Une autre solution pour soigner son workaholisme consiste à apprendre à déléguer. Comme nous le conseille Jann Mitchell avec sagesse : « Lâchez prise et laissez quelqu'un d'autre faire les choses à votre place[1]. »

Nous sommes souvent très arrogants, considérant qu'il n'y a qu'une seule manière de faire : la nôtre ! Or, en agissant ainsi, nous nous compliquons la vie. Cela nous simplifierait grandement les choses de savoir lâcher prise et de laisser quelqu'un d'autre agir à notre place – à sa manière. Ce qui, bien évidemment, n'est pas facile pour les accros au contrôle !

---

1. Jann Mitchell, *Organized Serenity: How to Manage Your Time and Life in Recovery*, Deerfield Beach, Floride, Health Communications, 1992, p. 33.

J'avais une collègue qui était workaholic et qui occupait un poste à responsabilités. Son besoin de se sentir indispensable la poussait à tenir les rênes beaucoup trop fermement. Épuisée, elle a décidé un jour qu'il était temps de relâcher son emprise. Petit à petit, elle s'est mise à déléguer des responsabilités qu'autrefois elle ne confiait à personne. Certes, les lettres qui quittaient le bureau étaient différentes de celles qu'elle aurait écrites elle-même. Oui, le buffet du traiteur lors des réceptions était différent de celui qu'elle aurait choisi. Oui, la composition du personnel était différente de ce qu'elle aurait été si elle s'était chargée de l'intégralité du recrutement, etc. Mais tout fonctionnait malgré tout !

Au début, c'est un peu difficile à accepter – le fait que tout fonctionne, que vous n'êtes pas aussi «important» que vous pensiez l'être. Mais les avantages sont considérables. En déléguant, on permet aux autres d'apporter leur contribution au monde. En déléguant, on peut se concentrer sur les tâches pour lesquelles on a été embauché. En déléguant, on a plus de temps à consacrer à sa famille et à ses amis. En déléguant, on a le temps de se forger une vie plus riche – ce qui permet d'être moins dépendant sur le plan émotionnel de son travail.

On peut déléguer dans le travail, mais aussi à la maison. Lorsque vous confiez des tâches à vos enfants, vous leur transmettez le message qu'ils sont des membres importants de la famille, qu'ils participent à son fonctionnement. Beaucoup d'enfants paraissent arrogants et gâtés, et je pense que, s'ils se comportent aussi mal, c'est parce qu'ils n'ont pas le sentiment d'être importants. En leur faisant sentir qu'ils sont des éléments essentiels de la maisonnée, vous leur donnerez le sentiment que leur vie est importante. En outre, en se voyant confier des tâches, les enfants apprennent à devenir plus indépendants. Enfin, vous en voudrez moins à vos enfants si vous êtes moins surmené. Et vous améliorerez votre estime de vous si vous vous considérez comme quelqu'un qui mérite d'être aidé.

On le voit, les avantages de la délégation sont considérables. La difficulté réside dans la manière de procéder. Il faut apprendre à confier des tâches à autrui en fournissant les explications nécessaires avant de laisser la personne se débrouiller toute seule. Félicitez-la pour le travail accompli, même si ce n'est pas ainsi que vous auriez procédé. Par exemple, si vous critiquez systématiquement vos enfants pour les produits qu'ils choisissent lorsqu'ils font les courses, ils finiront par ne plus aller au supermarché. Souvenez-vous qu'il n'y a pas de mauvais choix, il n'y a que des choix différents des vôtres. Il y a différentes manières de faire un lit, de sécher la vaisselle ou de ranger le garage. Détendez-vous. Lâchez prise. Je vous conseille d'aborder ce processus de délégation progressivement, en commençant par de toutes petites tâches. Et petit à petit…

Apprenez à lâcher prise. Appréciez les efforts d'autrui. Apprenez à féliciter les autres pour leur manière de procéder, même si leur démarche est différente de la vôtre.

Très rapidement, vous entretiendrez des relations beaucoup plus aimantes avec tous ceux qui vous entourent.

Dans un premier temps, se défaire de son besoin obsessionnel de travailler est générateur d'angoisse. Nous sommes fermement convaincus que si nous ne nous tuons pas à la tâche, nous n'aurons pas suffisamment d'argent, nous serons perdus ou déconsidérés, etc. Puis en entrant dans le domaine du moi supérieur, nous découvrons ce qui fait la vraie vie. C'est l'amour, la beauté, la grâce, la reconnaissance et toutes ces choses qui rendent l'existence plus joyeuse. Paradoxalement, plus j'ai réussi à me détendre, en vivant une vie équilibrée, plus je suis devenue productive. Mieux encore, ma qualité de vie s'est considérablement améliorée. J'ai même appris à «perdre» du temps, en faisant des choses dépourvues de toute utilité, hormis celle de m'apporter du plaisir. En fait, j'ai même découvert une nouvelle manière d'envisager la «perte de temps»:

C'est quand on ne s'amuse pas qu'on perd son temps!

De temps en temps, le besoin obsessionnel de travailler refait surface. Dans ces moments-là, je sais que ce que j'ai de mieux à faire est de m'installer à un endroit paisible et de chercher ce que j'essaie de masquer avec cette activité incessante.

Je finis toujours par découvrir une réponse qui m'apporte la paix. Soit je m'inquiète pour des raisons d'ordre financier, soit je m'angoisse à l'idée de ne pas exceller si j'arrêtais de me démener, soit c'est une autre peur inspirée par le moi inférieur qui m'assaille. Dans ce cas, j'utilise l'un des nombreux outils spirituels disponibles permettant de m'extraire du domaine du moi inférieur et de m'élever dans celui du moi supérieur. Effet magique assuré !

La prochaine fois qu'un désir compulsif de travailler vous assaillira, TREMBLEZ MAIS OSEZ NE PAS LE FAIRE ! Asseyez-vous dans un endroit tranquille et réfléchissez au cours de votre existence. Posez-vous les questions suivantes : « Qu'est-ce que je cherche à éviter avec cette activité incessante ? Qu'ai-je peur de regarder en moi ? Que puis-je faire pour avoir le sentiment d'exceller suffisamment ? Comment puis-je introduire davantage d'équilibre et de confiance dans ma vie ? Comment puis-je remplir le vide que je ressens lorsque je ne fais rien ? » Ensuite, écoutez. Une fois que vous commencerez à trouver des réponses à toutes ces interrogations, sans détours, utilisez les nombreux outils spirituels disponibles pour panser les blessures ou les peurs qui dominent votre vie.

Souvenez-vous qu'une vie équilibrée – une vie remplie par du temps passé en famille et avec des amis, du temps pour vous, du temps pour votre développement personnel et du temps consacré aux plaisirs, etc. – permet à l'individu de ressentir de l'abondance. Et l'être humain qui éprouve de l'abondance renonce à son addiction au travail, ce qui est une bonne chose.

Lâchez prise et renoncez au désir d'être parfait

Le perfectionnisme est lui aussi une addiction qui peut rendre fou. Nos corps doivent être parfaits. Nos performances professionnelles doivent être parfaites. Nous devons être un père ou une mère parfait(e). La réception doit être parfaite. Nous devons être un patron parfait. Notre ménage doit être parfaitement fait, etc., etc.

Êtes-vous parfait ? Non ! Moi non plus ! Et nous ne le serons jamais. Nous sommes simplement des êtres humains, qui font de leur mieux. Et l'être humain n'est pas venu au monde pour être parfait.

Nous sommes venus au monde pour apprendre, grandir, prospérer, aimer, créer, profiter, voir la beauté en toute chose – y compris en nous-mêmes. Mais nous ne sommes pas venus au monde pour être parfaits !

Alors, pourquoi sommes-nous si nombreux à nous focaliser sur un objectif impossible à atteindre ? Là encore, le bourbier du moi inférieur nous maintient dans l'idée que l'individu qui n'est pas parfait sera déconsidéré. Il nous maintient dans l'idée que si nous ne sommes pas parfaits, c'est que nous n'en faisons pas assez. Ce dernier point soulève un véritable problème de logique :

Pour en faire assez, il faut être parfait. Et comme personne n'est parfait, personne ne peut en faire assez !

Ce qui n'a aucun sens. La vérité c'est que…

Nous en faisons tous assez ! Et personne n'est parfait. Même les Bouddhas ont leurs mauvais jours !

Par conséquent, notre quête de la perfection est l'une des entreprises les plus vaines qui soient. Même les plus éclairés d'entre nous trébuchent et tombent régulièrement – et il n'y a aucun mal à cela.

Le perfectionnisme est souvent terriblement douloureux. Ayant tenté de trop bien faire, nous sommes nombreux à ressentir au plus profond de nous de la frustration et de l'éreintement. Ou bien nous sommes déçus de ne jamais réussir à atteindre notre objectif de perfection. La frustration, l'épuisement et la déception conduisent parfois à la dépression, voire au suicide. Certes, la majorité des individus n'en arrive pas à ces extrémités. En revanche, il est certain que notre addiction à la perfection entame notre joie de vivre.

Si cette addiction se révèle si dévastatrice, c'est parce que nous croyons que notre estime de soi est liée à notre performance. Or comme personne n'est parfait, il est impossible d'atteindre l'estime de soi par la perfection. Se pourrait-il que, là encore, l'échelle soit appuyée contre le mauvais mur ?

Que pouvons-nous faire pour commencer à changer ce comportement destructeur ? Une fois de plus, la notion d'ASSEZ peut apporter une aide. Ce mot formidable nous rappelle que lorsqu'on a fait de son mieux (que le résultat soit positif ou négatif), ce que l'on a fait et ce que l'on est est suffisant. Cette réflexion issue du moi supérieur permet à l'individu d'atteindre un lieu de paix et d'épanouissement.

Par conséquent, lorsque la voix de votre moi inférieur commencera à vous souffler que vous n'en faites pas assez, faites-la taire en vous répétant :

Ce que je fais est suffisant.
Ce que je fais est suffisant.
Ce que je fais est suffisant.
Ce que je fais est suffisant.
Ce que je fais est suffisant.

Répétez-vous cette phrase, toujours et encore, jusqu'à ce qu'elle pénètre les moindres recoins de votre être. Vous ne décrochez pas ce job dont vous rêviez ? Vous en avez fait assez. Vous avez passé un temps fou à préparer un rapport, que votre patron critique ? Ce que vous avez fait est suffisant. Attention : savoir qu'on en a fait assez et que le résultat de nos efforts est suffisant n'est pas une excuse pour bâcler le travail et pour manquer de méticulosité. Déployer des efforts et de l'amour pour tout ce que l'on entreprend dans la vie améliore l'estime de soi. Simplement, cet effort ne doit pas se confondre avec une addiction à la perfection.

Le sentiment de satisfaction et d'accomplissement ne vient pas d'une quête de la perfection. Il vient d'un processus faisant

intervenir notre amour, notre beauté et notre puissance
intérieurs de manière positive, avec chaleur et créativité.

Par moments, le désir de perfection de l'être humain
l'empêche de profiter pleinement de la vie. C'est le cas
lorsque nous renonçons à entreprendre des choses que
nous n'avons jamais faites, de peur de ne pas les faire
assez bien. Pensez donc: nous risquerions de nous
ridiculiser! Par exemple, j'ai vu trop de gens ne pas aller
sur la piste de danse, considérant qu'ils ne dansent pas
aussi bien que les autres. Or ils se privent d'un plaisir
extraordinaire! J'aime beaucoup la devise de Linda
Weltner: «Tout ce qui vaut la peine d'être fait vaut la
peine d'être fait, même mal[1].»

Cet humour cache une grande sagesse: on nous
a asséné qu'il fallait aspirer à l'excellence dans tout ce
qu'on entreprend. Nous avons peur du ridicule (quel que
soit le sens à donner à ce mot). Par conséquent, si nous
ne savons pas faire une chose à la perfection, elle ne
nous apporte pas de plaisir. À moins que nous ne préfé-
rions carrément nous abstenir. Souvenons-nous que…

L'objectif est de prendre du plaisir, non d'atteindre la
perfection.

....

1. Linda Weltner, «The Joys of Mediocrity», *New Age Journal*,
septembre-octobre 1993, p. 168.

Si cette activité vaut la peine d'être réalisée et si vous prenez du plaisir en l'accomplissant, qu'importe qu'elle soit bien faite ou non.

Vous voyez que pour déposer les armes et se réconcilier avec la vie, il faut apprendre à se fixer pour objectif le plaisir, et non la perfection. En appuyant votre échelle contre un mur différent, vous ferez la différence entre une vie vécue dans la joie et une vie passée à douter de soi.

Souvenez-vous que si quelqu'un vous reproche votre « incompétence » dans une entreprise donnée, répondez simplement: « Je me débrouille suffisamment bien » et puis amusez-vous.

PRENEZ DU PLAISIR !
PRENEZ DU PLAISIR !
PRENEZ DU PLAISIR !

CHAPITRE 5

Débarrassez-vous de votre excédent de bagages

« Je mène une vie très simple. Toutefois, certains soirs, je n'arrive pas à m'endormir tellement je suis excitée en pensant à la journée du lendemain. Je trouve de la joie et du rire dans tout ce que je fais. » (Sheila Byrd)

Sheila Byrd m'a écrit une lettre de fan. Or c'est moi qui suis devenue l'une de ses fans. Elle a soixante-huit ans, et en dépit d'une vie très difficile, cette femme irradie la joie. Sheila a été mariée à un alcoolique qui l'a quittée lorsque leur fille était petite. Elle n'a pas beaucoup d'argent. Et sa fille a bien du mal à prendre sa vie en main. Malgré tout, Sheila a appris à saisir l'essence de la vie plutôt que l'ombre. Elle a appris à transcender la petitesse du moi inférieur et à pénétrer le monde du moi supérieur, là où l'image de la vie est majestueuse.

En lisant sa lettre, j'ai été frappée par ces mots : « Je mène une vie très simple. » Cela m'a incitée à réfléchir à sa légèreté, qui reflète la simplicité de sa vie. J'ai compris que nous sommes nombreux à ne plus maîtriser l'art de la simplicité. Et croyez-moi, c'est vraiment un art ! La vie est devenue terriblement compliquée, lourde, dépourvue de joie et désordonnée. Difficile, dans ce contexte, de déposer les armes et de se réconcilier avec la vie…

Comment simplifier les choses ? Comment se débarrasser de l'excédent de bagages que nous portons ? Notre bagage matériel et émotionnel nous donne le sentiment de traverser la vie, chargé d'une pastèque et d'une valise trop pleine ! Il est temps de se débarrasser de ce poids considérable et d'apprendre à vivre avec la liberté que permet la simplicité. J'aimerais vous montrer comment alléger vos bagages dans divers domaines de l'existence. En lisant ces lignes, pensez à tout l'excédent de bagages que vous transportez avec vous. Il est définitivement temps de vous ALLÉGER !

Coupez la corde

L'un des bagages les plus lourds à porter réside dans notre besoin de contrôler ceux qui nous entourent. À cet égard, je trouve la citation suivante, d'un sage anonyme, extrêmement éclairante : « N'essayez jamais d'apprendre à chanter à un cochon : vous perdriez votre temps et cela ennuierait le cochon. »

Attention : loin de moi l'idée d'affirmer que vos proches sont des cochons ! Simplement, nous perdons un temps fou à essayer de changer les autres pour faire d'eux ce qu'ils ne sont pas ! Que nous cherchions à changer la manière de penser ou d'agir de nos épouses, maris, enfants, parents, frères et sœurs, amis ou autres, nous faisons fausse route.

En tentant de changer les gens (ce qui revient à essayer de les contrôler), nous allons à l'encontre de l'essence de ce qu'ils sont, à ce moment donné de leur existence. Nous ne tenons pas compte du fait qu'ils ont leur propre cheminement à accomplir, leurs propres leçons à apprendre, leurs propres capacités et leurs propres objectifs. Ils sont venus sur Terre pour accomplir des choses différentes des nôtres. Par conséquent, ayons la sagesse de ne pas nous mêler de leurs vies et de les laisser devenir ce qu'ils doivent devenir.

L'une de mes amies était terriblement contrariée quand sa fille, âgée de 18 ans, s'est fait faire un tatouage sur le bras. Elle avait le sentiment qu'avec cela, sa fille aurait du mal à se faire accepter, qu'elle ne trouverait pas un bon mari, qu'elle serait considérée comme quelqu'un de bizarre, etc. Sa fille, quant à elle, était contrariée que sa mère ne la laisse pas mener sa propre existence. Un conflit majeur entre leurs deux ego s'est engagé.

J'ai dit à mon amie : « Aie confiance et dis-toi que ta fille a son propre chemin à parcourir, ses propres leçons à apprendre. Pourquoi l'empêcher de vivre sa vie ? Pourquoi ne pas t'interroger sur les véritables raisons pour lesquelles un tatouage sur le bras de ta fille te dérange autant ? » Je lui ai expliqué qu'à mon sens, ces interrogations constituaient une approche plus intéressante de la situation que d'adresser des reproches à sa fille en se rendant malade.

Dans le même esprit, il aurait été formidable que quelqu'un demande à sa fille : « Pourquoi es-tu à tel point tributaire de l'avis de ta mère? Au lieu de crier, demande-toi pourquoi tu ne te contentes pas de lui répondre calmement: «Merci de t'intéresser à moi, maman, mais je dois suivre ma propre voie et pas la tienne.»

Cette situation est une bonne illustration de ce qu'on appelle la codépendance. Telle que nous l'entendons dans cet ouvrage, la codépendance est l'inaptitude à ériger des frontières saines entre soi et les autres. Le comportement d'autrui détermine notre estime de soi, notre bonheur, notre sentiment de paix et de fluidité. Par définition, cette incapacité à fixer des limites génère un besoin de contrôler le comportement des autres. Nous avons besoin de contrôler leur comportement, puisque nous n'arrivons pas à contrôler le nôtre… Malheureusement, tous nos efforts dans ce domaine sont vains.

Quelles pouvaient être les véritables raisons d'une telle contrariété chez mon amie? Peut-être craignait-elle d'être mal jugée par les autres si sa fille avait un tatouage? Peut-être avait-elle le sentiment que sa fille n'avait plus besoin d'elle, puisqu'elle prenait désormais ses décisions toute seule? Peut-être se sentait-elle coupable de ne pas être une mère «parfaite», ayant élevé un enfant «parfait» (d'après son idée de la perfection). Peut-être ne croyait-elle pas dans les capacités de sa fille à gérer les conséquences de ses actes? On le voit, il s'agit de questions complexes. Il est plus facile de réagir avec colère au comportement de sa fille que de s'interroger sur ses propres réactions face à ce comportement. Or, bien évidemment, ce n'est qu'en s'interrogeant sur ses réactions à elle qu'elle aurait pu trouver les véritables raisons de sa colère.

Inutile de dire qu'il est toujours plus facile de s'interroger sur ce qui se passe en nous lorsque le problème est relativement mineur. Mais qu'en est-il lorsque le problème concerne un conjoint alcoolique, un enfant qui arrête l'école, un parent qui a toujours été critique et peu aimant ? Face à ces problèmes plus graves, il est encore plus difficile d'ériger des limites. Malgré tout, il est essentiel d'y parvenir.

Le fils de Robert, âgé de dix-neuf ans, prenait de la drogue et n'allait plus à l'école. En raison de son éducation, Robert pensait être responsable de tous ceux qui l'entourent. Il croyait que le bonheur (ou le malheur) de chacun dépendait de lui. Il croyait aussi qu'il pouvait changer les autres avec ses paroles, ses actes ou son attitude. Lorsque les problèmes de son fils ont commencé, Robert a désespérément essayé de remettre son fils sur la «bonne voie», en vain. Il a fini par comprendre qu'il était impuissant et qu'il devait se mettre totalement en retrait pour laisser son fils trouver sa propre voie. Cette démarche s'est révélée extrêmement difficile, mais aussi extrêmement libératrice. Robert a expliqué qu'il avait demandé à Dieu de prendre le relais et de donner à son fils ce dont il avait besoin. Ce faisant, il s'est retiré du jeu, cédant la place à Dieu.

Son fils a abandonné ses études pour mener une vie marginale. Toutefois, Robert était sorti de cette relation de codépendance dans laquelle il cherchait à protéger son fils des conséquences néfastes de ses actes – une attitude qui, a priori, paraît noble. Toutefois, à terme, elle revient à tenter de contrôler l'autre et se révèle destructrice, dans la mesure où elle permet à l'autre de poursuivre son comportement irresponsable. À la place, Robert a fait preuve d'un «amour tenace».

Si Robert n'avait pas changé d'attitude, il aurait donné de l'argent à son fils, il l'aurait sorti de toutes les situations difficiles, il aurait cherché des excuses à son comportement, il aurait cherché à contrôler tout ce qui se passait dans sa vie, il aurait menacé son fils en décrétant qu'il n'avait plus le courage de continuer ainsi, il aurait tenu d'autres ou lui-même responsables des problèmes de son fils, etc. À la place, il a décidé de faire confiance au Grand Dessein de la vie de son fils. Il a fallu du temps, six ans pour être exact. Mais son fils a fini par s'éveiller à la perspective d'une vie plus satis-faisante et plus productive. Désormais, il emprunte une voie plus saine, plus responsable. Et pour la première fois, Robert et son fils ont la possibilité de devenir amis.

Quelqu'un a demandé à Robert ce qu'il aurait ressenti si son fils avait fini en prison ou s'il était mort. Il a répondu: «J'ai fait de mon mieux, j'ai essayé de l'aider, en vain. Finalement, j'ai dû lâcher prise. S'il était mort ou s'il avait atterri en prison, cela aurait été terriblement douloureux, mais j'aurais su que ce n'était pas de ma faute. C'était son choix. Certes, j'aurais pleuré sa perte, mais je n'aurais pas laissé la qualité de mon existence dépendre de ses décisions.» Un comportement comme celui que Robert avait autrefois n'aide pas l'autre personne; au contraire, il empire les choses. La méthode de Robert, celle de l'amour tenace, était la chose la plus saine à faire pour lui-même et pour son fils, quelle que soit l'issue finale.

Si vous avez le sentiment de ne pouvoir réagir à une situation donnée avec la force dont Robert a fait preuve face aux problèmes de son fils, vous pouvez vous faire aider par un groupe de parole ou une thérapie de groupe. Je crois beaucoup au processus de groupe. Lorsqu'on traverse une période difficile, le soutien de gens qui s'intéressent à vous et qui vivent des problèmes comparables est important. Toutefois, il faut savoir qu'il y a des groupes dont le fonctionnement est sain, d'autres où c'est moins le cas – j'en ai parlé en détail dans l'un de mes précédents ouvrages, intitulé *Osez briser la glace*. Il est important de déterminer à quelle catégorie votre groupe appartient. S'il encourage en vous une mentalité de victime, prenez vos jambes à votre cou. Ce dont vous avez besoin, c'est d'un groupe qui permette une approche puissante et aimante de la vie. Il existe aussi quantité d'outils à utiliser tout seul. Par exemple, l'exercice de visualisation suivant est extraordinaire pour aider à briser des liens de codépendance.

Fermez les yeux. Détendez votre corps. Visualisez la personne que vous cherchez à contrôler ou à changer. Imaginez qu'un cordon ombilical vous relie à elle, de sorte que lorsque l'un de vous se déplace, l'autre doit lui aussi bouger. Sentez l'inconfort, la douleur et la sensation d'emprisonnement que provoque ce lien. Voilà un environnement peu propice pour déposer les armes et se réconcilier avec la vie.

Maintenant, visualisez-vous en train de prendre une grande paire de ciseaux et de couper le cordon. Sentez le soulagement immédiat, la liberté et la paix qui en découlent. Inspirez profondément et remarquez que désormais, vous êtes libres l'un et l'autre. Déplacez-vous et constatez que l'autre n'est pas obligé de vous suivre. À l'inverse, lorsque l'autre bouge, vous êtes libre de rester là où vous êtes, à votre guise.

Répétez cet exercice à chaque fois que vous avez la tentation d'interférer dans la vie de quelqu'un ou que vous laissez une personne interférer dans votre vie, ce qui est l'autre facette du même problème.

Il arrive que ceux avec lesquels nous entretenons une relation de codépendance n'aient pas envie d'en être libérés, car ils s'imaginent que leur survie dépend du lien qui les unit à nous.

Nous devons les assurer de notre amour et leur communiquer notre confiance dans le fait qu'ils sauront gérer leur propre vie. À mon sens, c'est la forme d'amour la plus poussée qui soit : tenir à l'autre sans le contrôler. L'amour inconditionnel implique la capacité à se mettre en retrait et à faire confiance à ceux que nous aimons, en les laissant suivre leur propre voie, quelle qu'en soit l'issue, sans les juger, ni les condamner, ni ressentir de la colère.

Bien sûr, les jeunes enfants ont besoin d'être guidés et soumis à une certaine discipline. Bien sûr, nous pouvons être là pour les autres, en jouant le rôle d'ami, de coach ou de modèle. Mais servir de béquille ou de critique ne sert à rien.

Au final, nous devons cesser de nous servir d'autrui pour remplir nos vies. Nous devons construire notre propre bonheur, en nous détachant de notre dépendance vis-à-vis des autres.

Si la paix dans votre cœur dépend du comportement d'un tiers, vous vivez dans le domaine du moi inférieur et vous serez constamment en conflit. En coupant ce lien, vous serez libre de vivre dans le champ du moi supérieur, là où votre bonheur dépend uniquement de la conviction que vous êtes quelqu'un de fort et d'aimant, qui a beaucoup à donner.

Oubliez les « Il faudrait faire ceci » et les « Il ne faudrait pas faire cela »

Parmi les conseils judicieux que l'on vous a donnés récemment, il y avait sans doute : « Arrête de me dire ce que je devrais faire. » J'y ajouterais un autre conseil : « Arrêtez de vous dire à vous-même ce que vous devriez faire. » Une grande partie du poids qui pèse sur notre vie vient des innombrables « Il faudrait faire ceci » et « Il ne faudrait pas faire cela » que d'autres nous assènent, et aussi de ceux que nous cherchons à nous imposer à nous-mêmes. En voici quelques exemples :

– Il faudrait que je fasse au moins une demi-heure d'exercice physique chaque jour.

– Il faudrait que j'envoie mes enfants dans les meilleures écoles.

– Il faudrait que je réponde à tout mon courrier.

– Il faudrait que je décroche le téléphone à chaque fois qu'il sonne.

– Il faudrait que je sois un maître (une maîtresse) de maison parfait(e).

– Il faudrait que je gagne beaucoup d'argent.

Ces « Il faudrait que ceci » et « il ne faudrait pas que cela » révèlent un désir de conformité. Or il serait préférable d'apprendre à écouter son cœur et à suivre son instinct quant à la meilleure manière de vivre sa vie.

L'exemple de Jeanne est intéressant. Jeanne voyait toujours arriver avec angoisse l'époque de Noël, synonyme d'innombrables cartes de vœux à écrire. Un jour, elle s'est dit : « Pourquoi est-ce que je m'impose cela, alors que cela me pèse autant et que cela me prend tellement de temps ? »

L'année suivante, elle a décidé de ne pas envoyer de cartes de vœux. Quel soulagement ! Elle dit qu'en plus, personne ne s'en est rendu compte ! Ses amis sont restés ses amis. Ses relations professionnelles ne lui en ont pas tenu rigueur. Désormais, elle passe un coup de téléphone aux amis avec qui elle souhaite vraiment conserver des liens étroits, pour leur dire qu'ils comptent pour elle et qu'elle leur souhaite plein de bonnes choses. Pour elle, les fêtes de fin d'année sont devenues beaucoup plus simples, et elle est beaucoup plus libre depuis qu'elle ne se sent plus obligée d'écrire ces cartes. Bien sûr, beaucoup de gens adorent écrire des cartes de vœux, et ils auraient tort de s'en priver. Mais si les cartes de vœux deviennent une corvée, et non plus un plaisir, il est définitivement temps d'arrêter d'en écrire.

Est-ce que Jeanne est contente de recevoir des cartes ? Bien sûr. Mais cela ne signifie pas qu'elle pense moins aux gens qui ne lui en envoient pas. En fait, elle explique même que parfois, elle est déçue en recevant des cartes imprimées, non personnalisées, qui donnent l'impression d'avoir été envoyées par obligation et non par envie.

Faites l'exercice suivant : notez toutes les choses qu'il faut faire ou qu'il ne faut pas faire, et qui sont devenues une corvée et non un plaisir. Ensuite, rayez-les de votre liste, une par une. Par exemple, vous n'avez pas besoin de faire votre lit tous les matins… sauf si vous en avez envie. Vous n'avez pas besoin de laver votre voiture… sauf si vous en avez envie. J'ai un ami qui a même remplacé les fleurs de son jardin par des fleurs en bois peint, qui n'ont pas besoin d'être arrosées ! Bref, vous avez compris l'idée…

Ces obligations que nous impose le moi inférieur fragmentent notre existence et deviennent des sources de préoccupation. Elles incitent à trop agir, à trop réfléchir, à trop planifier. Elles nous dispersent et elles nous décentrent. Souvenez-vous que du point de vue du moi supérieur, le plaisir dans la vie et la contribution viennent du cœur, et le cœur de chaque individu est différent. Demandez simplement à votre moi supérieur ce qu'il est bon que vous fassiez, en tenant compte de votre raison d'être sur Terre, et écoutez la réponse. C'est cela, être soi. C'est être la meilleure personne possible.

Il arrive parfois que l'on soit contraint de faire des choses pour d'autres, comme apporter à manger à un parent malade, et parfois, nous ne sommes pas d'humeur, ce qui fait naître en nous du ressentiment, une émotion dictée par le moi inférieur. Lorsque l'on dépasse le moi inférieur, pour entrer dans le domaine du moi supérieur, le ressentiment disparaît, car nous prenons conscience de notre contribution à la vie d'autrui. Nous sommes alors imprégnés de l'énergie que procurent l'amour et l'affection. Notre existence s'en trouve enrichie, et non diminuée. Et les «Il faut faire ceci» cèdent la place à des «J'ai envie de faire ceci».

Dans la vie, il faut payer les factures, faire la vaisselle, conduire les enfants à l'école, et accomplir d'autres tâches de la vie quotidienne. Là encore, il arrive qu'on ne soit pas d'humeur, ce qui suscite du ressentiment. Mais là aussi, on peut dépasser le domaine du moi inférieur pour entrer dans celui du moi supérieur, fort de la conviction que, dans l'existence, tout repose sur le «donnant-donnant». Nous payons nos factures en sachant que nous avons bénéficié de biens et de services fournis par d'autres et qu'il est temps d'apporter notre pierre à l'édifice. Nous lavons la vaisselle, empreints de gratitude d'avoir mangé. Nous conduisons nos enfants à l'école, reconnaissants de les compter dans nos vies (et de savoir que quelqu'un d'autre va s'occuper d'eux pendant quelques heures!). En envisageant les choses de plus haut, nous voyons les dons inhérents à tous nos actes. Et là encore, les contraintes peuvent céder la place à des choses que l'on a envie de faire.

Renoncez au besoin de tout savoir

Je suis une «omnisciente» repentie, et je sais combien le besoin d'impressionner tout le monde avec mon savoir extraordinaire est douloureux et destructeur. En lisant cette citation de Lao Tseu, j'ai ressenti un certain malaise: «Savoir qu'on ne sait pas est formidable. Prétendre savoir quand on ne sait pas est une maladie.» Ouille! Récemment, j'ai appris que…

Pour le moi inférieur, ne pas savoir est de la bêtise. Pour le moi supérieur, ne pas savoir est une grande sagesse!

Fort heureusement, j'apprends de plus en plus à vivre dans le domaine du moi supérieur, pour qui ne pas savoir est le signe d'un esprit clair et ouvert. Cela signifie qu'il reste suffisamment d'espace pour se développer et grandir, que mon esprit n'est pas encombré de choses rigides, que je suis libre de lâcher prise et de recevoir. Quelle abondance miséricordieuse!

La vérité, c'est que nous ne savons que très peu de chose. Prétendre le contraire est un signe manifeste de manque d'assurance. Nous pensons que nous devrions savoir. C'est pourquoi nous nous leurrons, en croyant que nous savons tout. Toutefois, à notre époque, tout change très vite. On dit que le rythme du changement est cinq fois plus rapide qu'il y a cinquante ans. En outre, la quantité globale d'informations double environ tous les sept ans. Qui pourrait suivre le rythme ? PERSONNE ! Ceux qui prétendent y arriver se mentent. Certains tentent de suivre le rythme, au prix d'un stress inutile.

À l'époque où je cherchais désespérément à tout savoir, j'avais toujours peur de rater une info que j'aurais dû connaître. Je conservais journaux, livres et magazines. J'avais peur de jeter quoi que ce soit. Maintenant que je suis sur la voie de la «rédemption», je sais que je rate des choses – et cela ne me pose pas problème. Régulièrement, je jette et je donne des journaux, des magazines et des livres, sans même les avoir ouverts. Quel soulagement !

Nous, les «omniscients», nous croyons savoir comment les gens devraient se comporter, comment ils devraient élever leurs enfants, comment ils devraient s'alimenter, comment ils devraient prier, comment ils devraient faire l'amour, comment ils devraient penser, etc. Oh, comme nous faisons fausse route !

Là, vous vous dites peut-être : «On a quand même le droit d'avoir un avis, non ? » Barry Stevens nous dit que les Jains, en Inde, utilisent un mot, *syat*, qui veut dire «en l'état actuel de mes connaissances». Ils ponctuent la conversation avec ce mot, afin de rappeler que ce qu'ils disent constitue toutes les informations dont nous disposons[1].

S'entraîner à dire «Je ne sais pas» à ceux qui vous demandent votre avis est un exercice extraordinaire. Ou bien : «en l'état actuel de mes connaissances, je crois que…». N'hésitez pas à conclure en disant : «…mais je ne sais pas ce que j'en penserai demain». C'est ouvert. C'est libérateur. Et c'est aussi très vrai !

Voilà quelques éléments de bagage émotionnel sur lesquels vous pourrez travailler. Je sais que cette ébauche reste superficielle, mais vous comprenez le principe. En cherchant suffisamment longtemps et suffisamment fort, vous verrez que toutes vos émotions négatives, comme la colère, le ressentiment, la culpabilité, la mauvaise estime de soi et la peur, montrent qu'on est prisonnier du moi inférieur et qu'il faut s'en extraire, pour pouvoir rétablir le lien avec votre «foyer» spirituel, votre moi supérieur. Ainsi, vos émotions négatives auront eu une utilité. Une fois que le lien avec votre moi supérieur sera rétabli, vous verrez que ces émotions négatives s'estomperont et que la paix reviendra au sein de votre être.

À chaque fois que vous serez en proie à des sentiments négatifs, posez-vous la question suivante :

« Qu'est-ce que mon moi supérieur dirait de tout cela ? »

---

1. Barry Stevens, *Burst Out Laughing*, Berkeley, Celestial Arts, 1984, p. 20.

À mesure que votre accès à votre moi supérieur s'effectuera plus aisément, vous commencerez à voir tous les événements de votre vie sous un angle plus aimant et plus puissant. Et le soulagement est considérable !

Débarrassez-vous de l'excédent de bagage matériel

Nous vivons dans une société qui encourage l'accumulation. On nous a asséné que plus, c'est mieux ! Résultat : nous nous accrochons à plus de choses que nous n'en avons réellement besoin. Ce qui donne des bagages bien lourds ! Vous vous dites que l'accumulation excessive ne touche que les gens riches ? Que nenni. Je suis allée chez des gens riches et chez des gens pauvres. Partout, je suis frappée par l'excès de « choses » qu'on y trouve.

Ma maison ne fait pas figure d'exception. Mon mari et moi avons dû quitter notre domicile pendant trois mois, pour y faire réaliser d'importants travaux de rénovation. L'appartement que nous avons loué pour cette période avait de tout petits placards, loin des vastes dressings auxquels j'étais habituée. Comme je ne pouvais pas emporter beaucoup de vêtements, j'ai sélectionné soigneusement une garde-robe restreinte qui, je l'espérais, ferait l'affaire pour ces trois mois.

Après avoir emballé mes affaires, j'ai regardé les vêtements restants, qui allaient partir au garde-meubles. Et j'ai constaté avec surprise que le placard avait l'air aussi plein qu'avant. Là, je me suis dit : « Il y a quelque chose qui ne va pas.» Une fois les trois mois écoulés, j'ai eu une nouvelle surprise: je n'avais pas porté la moitié du nombre très restreint de vêtements que j'avais emportés! Là, j'ai bien été obligée de m'interroger sur le sens de toute cette accumulation…

De retour à la maison, j'ai décidé de me débarrasser des vêtements que je n'avais pas mis depuis plus d'un an. Bizarrement, la tâche n'était pas si aisée. J'avais un mal fou à me défaire de certains vêtements, comme s'il s'agissait d'une question de vie ou de mort, alors que je ne les avais pas portés depuis plus d'un an! J'ai même eu du mal à donner une ceinture que je n'avais pas mise depuis dix ans! Malgré moi, je me disais que j'en aurais peut-être besoin un jour. Qui étais-je en train de leurrer? Pendant au moins huit années sur les dix écoulées, je n'avais pas été assez mince pour porter cette ceinture! Je l'avais même oubliée! Alors, pourquoi y tenais-je autant? Au fond de mon moi inférieur, je connaissais la réponse.

La plupart des gens qui tiennent tant à des objets qui les encombrent ou dont ils ne se servent plus ont une angoisse de la pauvreté. À un certain niveau de notre être, nous avons le sentiment de ne pas avoir assez de vêtements, pas assez de meubles, pas assez d'argent, pas assez d'amour, pas assez d'encouragements (tiens, revoilà ce mot magique, ASSEZ). Je suis certaine que cette peur intervient dans mon besoin de conserver les choses.

Vous aussi, vous conservez des objets par peur de la pauvreté? Alors, je vous conseille de faire comme moi.

Répétez-vous les mots suivants, en commençant à vous défaire de ce qui vous encombre :

> *Je possède suffisamment de choses. Je m'allège.*
> *Je possède suffisamment de choses. Je m'allège.*
> *Je possède suffisamment de choses. Je m'allège.*

En répétant ces deux idées importantes, vous sentirez disparaître ce besoin pesant de conserver les objets superflus et un sentiment de légèreté vous envahir. Il est important de répéter en permanence ces affirmations. Les vieilles habitudes sont tenaces, même lorsqu'elles n'ont absolument plus aucune raison d'être.

Envisagez-vous comme un maillon de la chaîne de la vie. En donnant les vêtements, les assiettes et les meubles dont vous n'avez pas besoin à des gens qui en ont vraiment l'utilité, vous faciliterez la vie de quelqu'un, pour qui vous serez une source d'abondance – ce qui est extraordinairement gratifiant.

Faites le tour des placards, des tiroirs et des armoires, chez vous et au bureau, et entamez le processus d'allégement. Qu'allez-vous découvrir ?

Des livres que vous ne relirez plus jamais, des vêtements que vous ne remettrez plus jamais, des cassettes que vous ne réécouterez plus jamais, des cosmétiques que vous n'utiliserez plus jamais, des casseroles dans lesquelles vous ne cuisinerez plus jamais, des dossiers que vous n'ouvrirez plus jamais et quantité d'autres choses encore.

Au début, il est difficile de se défaire de ces objets. Mais une fois que vous en aurez pris l'habitude, vous vous sentirez plus léger, plus frais et mieux à même de distinguer ce dont vous avez réellement besoin. C'est tout l'intérêt, j'imagine, des nettoyages de printemps.

Vous vous demandez peut-être : « Pourquoi accorder une telle importance au rangement de ses placards, alors que des événements autrement plus importants se produisent dans ma vie ? À quoi bon ? » Eh bien, je vais vous le dire : cette démarche soulage. En vous débarrassant du superflu, vous prendrez conscience que :

Vous n'avez pas besoin d'autant de choses que vous le pensiez (ou vous n'en voulez pas !), ce qui veut dire que…

Vous n'avez pas besoin d'acheter autant de choses, ce qui veut dire que…

Vous n'avez pas besoin pas d'autant de place, ce qui veut dire que…

Vous n'avez pas besoin d'une maison plus grande, ce qui veut dire que…

Vous n'avez pas besoin de gagner autant d'argent, ce qui veut dire que…

Vous n'avez pas besoin de travailler autant, ce qui veut dire que…

Vous avez plus de temps et plus d'énergie, ce qui veut dire que…

Vous pouvez déposer les armes et vous réconcilier avec la vie !

Autre chose : nous sommes nombreux à vouloir plus d'argent, convaincus que l'argent rendra nos vies plus simples. C'est vrai si l'on parle de l'argent nécessaire pour survivre – pour manger, s'habiller, se loger, payer les études des enfants, etc. Mais pour les accros au «plus-encore plus-toujours plus», l'accumulation de biens superflus les rend prisonniers de leurs responsabilités. Ils ont de grosses voitures, de grandes maisons, une profusion de biens. Ils travaillent tellement dur pour maintenir leur niveau de vie qu'ils n'ont plus de temps à consacrer au plaisir et au jeu. Je vois souvent ces gens avoir toutes les peines du monde à se détendre ! Leurs vies ne sont ni libres ni légères. Les fardeaux qu'ils se sont eux-mêmes imposés pèsent lourd.

Là aussi, ce mode de vie frénétique d'une angoisse de la pauvreté profondément enfouie en eux. D'un besoin de contrôler et de dominer. D'un profond manque d'assurance. Il est difficile de croire que beaucoup de gens riches ont terriblement peur de la pauvreté et pourtant, c'est le cas ! Demandez-leur comment ils vont : ils ne vous donneront pas une réponse pleine de joie, mais ils se lamenteront. Je les appelle les «pauvres-riches».

J'ai vu un jour un livre dont le titre m'a frappé : *Votre vie ou votre argent*[1]. Dans certaines situations, c'est précisément le choix auquel nous sommes confron-

---

1. Joe Dominguez et Vicki Robin, *Votre vie ou votre argent*, Éditions logiques, Montréal, 1997.

tés. Beaucoup de gens gagnent bien leur vie, sans pour autant avoir une belle vie. Une fois de plus, dès lors qu'on a la bonne attitude, une certaine aisance financière peut être rassurante et les choix que l'argent permet sont agréables. Mais l'individu «accro» à l'accumulation renonce à tout ce qui est extraordinaire dans l'existence.

Ce concept d'allégement du bagage matériel a eu un tel impact sur mon mari et moi que nous avons décidé de vendre notre domicile actuel pour emménager dans une maison plus petite et plus simple, une maison qui nous laisse davantage de liberté pour profiter de la vie. Je comprends tout à faire Ann Richards, ex-gouverneur du Texas, qui a dit : «Lorsque je n'habiterai plus la résidence officielle, je vivrai dans la plus petite maison que j'aurais trouvée[1].»

Ann Richards a compris la nécessité de se défaire du bagage superflu. Elle appelle cela «mettre au rebut les distractions». J'aime bien cette expression! Tout ce qui nuit à notre légèreté et à notre simplicité dans la vie est indéniablement une distraction. Alors, faites-en un jeu et mettez au rebut autant de distractions que possible, chez vous et au bureau. Voici la règle que je me suis fixée :

Utilisez ce qui enrichit votre existence et profitez-en. Débarrassez-vous des bagages superflus.

---

1. Extrait d'une interview parue dans *Mirella*, mai 1993, p. 158.

En se débarrassant des bagages superflus, on découvrira que plus grand n'est pas forcément synonyme de mieux. Mieux vaut opter pour ce qui est plus petit et plus léger! On parle souvent de l'amélioration du niveau de vie. Or il y a des situations dans lesquelles améliorer son niveau de vie consiste à le réduire! Lorsqu'on est consumé par l'accumulation et par le «plus-encore plus-toujours plus», qui nous sont dictés par le monde extérieur, on perd plus que l'on ne gagne. J'en suis arrivée à la conclusion que…

Pour améliorer son niveau de vie, il faut restreindre ses besoins et profiter davantage!

Avoir moins de besoins et prendre davantage de plaisir est une alternative qui en séduit plus d'un. Toutefois, cela est plus facile à dire qu'à faire. Plus loin dans cet ouvrage, je vous présenterai plusieurs pistes extraordinaires pour réduire vos besoins et profiter davantage. Pour l'instant, permettez-moi de vous raconter une anecdote, qui sera peut-être une source d'inspiration.

Au XVIᵉ siècle, il y avait un moine zen très pauvre qui vivait dans une petite cabane, sur une montagne. Un soir, en rentrant chez lui, il y découvrit un voleur. Sachant qu'il n'y avait pas grand-chose à voler, il dit à l'homme : «Je ne possède pas grand-chose, mais j'aimerais vous donner quelque chose.» Puis il ôta ses vêtements pour les donner au voleur. Totalement déconcerté, le voleur prit les vêtements et partit en courant. Le moine s'est-il senti pauvre, une fois dépouillé de ses vêtements ? Non. Il a admiré la beauté de la nuit et s'est dit tristement : « J'aurais aimé qu'il reste un peu plus longtemps. J'aurais pu lui offrir les étoiles. »

Ce moine zen avait découvert l'essence d'une vie bien vécue. Il n'avait pas besoin d'accumuler des possessions. Il ne ressentait pas le besoin de contrôler le comportement du voleur ni de le juger. Il n'était pas chargé d'émotions négatives, comme le ressentiment, la colère et la peur. Il ne se voyait pas comme une victime (le « survivant d'un vol »). Il maîtrisait l'art de vivre dans les dimensions de l'abondance et de la beauté du moi supérieur. Il se sentait très riche.

Je n'ai jamais rencontré quelqu'un ayant atteint un tel niveau d'illumination. J'imagine que vous non plus… Pourtant, nous vivons tous des moments exquis où nous pouvons véritablement nous abandonner et embrasser les étoiles. Durant ces instants qui confinent au sublime, rien ne paraît vraiment important sur le plan matériel. Tout ce qui vaut la peine d'être atteint semble se situer sur le plan spirituel.

Pour déposer les armes et se réconcilier avec la vie, il faut faire l'effort de quitter la pénurie du moi inférieur pour embrasser l'abondance qui se situe dans la partie la plus élevée de votre être – votre moi supérieur. À cet endroit magique, vous découvrirez tout ce que vous avez besoin de savoir pour y arriver.

CHAPITRE 6

Soyez confiant dans l'avenir

« Choisissez soigneusement les choses sur lesquelles vous jetez votre dévolu et que vous décidez d'obtenir. Lorsque je décide de ne plus vouloir quelque chose, je respire plus profondément, et je me sens plus libre. Je l'ai échappé belle. » (Barry Stevens[1])

Barry Stevens a mis le doigt sur l'un des domaines de l'existence où nous avons le plus besoin de lâcher prise : nos attentes quant à la manière dont les choses sont «supposées» être (ce qui est une variante du «il faudrait que ceci ou cela» que nous avons vu précédemment). Nous voulons tant de choses : une belle journée pour notre garden-party, que nos enfants deviennent ce que nous voudrions, des investissements qui rapportent beaucoup d'argent, un mariage qui dure «jusqu'à ce que la mort nous sépare», etc.

Parfois les choses se passent comme nous l'escomptions, parfois non. Que ce soit le cas ou non, s'accrocher à des attentes crée beaucoup de soucis, de conflits et de combats.

---

1. Barry Stevens, *Burst Out Laughing*, Berkeley, Celestial Arts, 1984, p. 35.

En s'inquiétant de l'avenir, on amoindrit le présent.

Si vous vous faites un sang d'encre sur le temps qu'il fera, vous ne profitez pas des préparatifs de votre garden-party. Si vous vous inquiétez de ce qu'ils deviendront, vous ne profitez pas du miracle de vos enfants qui grandissent. Si vous vous inquiétez de l'avenir de vos investissements, vous ne profitez pas de l'abondance de votre vie aujourd'hui. Vous vous pliez en quatre pour faire plaisir à votre conjoint, afin que votre couple dure «jusqu'à ce que la mort vous sépare». En bref, vous perdez la liberté de jouir des vastes richesses que la vie vous offre, ici et maintenant.

Que se passerait-il si vous saviez que votre vie serait formidable même s'il pleuvait le jour de votre garden-party, même si vos enfants ne devenaient pas ce que vous voulez, même si vos investissements ne rapportaient pas ce que vous escomptiez, même si votre couple ne tenait pas ? En renonçant à l'idée que les événements de la vie doivent prendre une certaine tournure, on s'autorise une pensée apaisante, celle que tout se passe parfaitement bien, quoi qu'il arrive.

Vous voyez combien il est important de ne pas vouloir à tout prix que les choses se passent d'une certaine manière. Par définition :

L'individu qui décide d'obtenir quelque chose se met dans un état de rigidité. Celui qui laisse les événements suivre leur cours se met dans un état de fluidité.

On me pose souvent la question suivante : « Comment peut-on se fixer des objectifs dans la vie sans avoir d'attentes ? » Ma réponse tient en quelques lignes :

Fixez-vous autant d'objectifs que vous voulez. Visualisez exactement ce que vous voudriez voir arriver. Fournissez des efforts, avec amour, et faites ce qu'il faut pour obtenir le résultat escompté. Et puis une fois que vous pourrez vous dire que vous avez fait tout votre possible, ACCEPTEZ LE RÉSULTAT !

Ainsi, vous vous libérez de toutes les attentes concernant la tournure que prendront les événements. Vous vous laissez porter par le flux de la vie, sachant que dans le Grand Dessein des choses, la vie se passe parfaitement. Comme John Lubbock l'a dit avec sagesse : « Une fois que l'on a fait de son mieux, il faut attendre le résultat paisiblement. »

La vérité est que nous ne sommes pas en mesure de voir au-delà de notre champ de vision limité, pour apercevoir les possibilités somptueuses que la vie nous offre. Parfois, lorsque les choses n'évoluent pas comme nous l'aurions souhaité, nous découvrons par la suite qu'en réalité, elles ont évolué parfaitement, dans notre intérêt supérieur. Soit nous avons appris une leçon précieuse, soit une meilleure occasion s'est présentée. Permettez-moi de vous montrer comment cela fonctionne.

Imaginons que vous êtes en colère parce que vous n'avez pas décroché le job que vous escomptiez. Vous trouvez injuste qu'une personne moins qualifiée ait obtenu le poste à votre place. Non seulement vous êtes en colère, mais vous vous dites aussi que cela va avoir des répercussions sur votre réussite future. Votre moi inférieur vous envoie des messages négatifs et ne cesse de vous répéter : «Tu n'es pas assez bon pour réussir.»

Dans ces moments-là, souvenez-vous de l'alternative qui s'offre à vous. Soit vous laissez cet événement entamer votre paix intérieure et vous abattre. Dans ce cas, non seulement vous n'avez pas décroché le job, mais en plus, vous êtes anéanti. Soit vous vous en remettez à la sagesse que vous portez en vous, à votre moi supérieur, avec la mission suivante :

Prends le relais maintenant. Je suis confiant : si je n'ai pas obtenu ce job, c'est qu'il y a une bonne raison à cela. C'est arrivé pour mon bien. J'ai confiance car je sais que tu me diras exactement ce que j'ai besoin de savoir et ce que j'ai besoin de faire dans cette situation.

Quand je dis «s'en remettre», je veux dire S'EN REMETTRE. Et quand je dis «être confiant», je veux dire ÊTRE CONFIANT! Mes expériences m'ont convaincu que les choses se produisent pour d'excellentes raisons. Nos esprits limités ne les comprennent peut-être pas toutes, mais la part spirituelle de notre être comprend parfaitement. Ainsi, lorsque les doutes se font jour, il est dans notre intérêt de nous répéter cette affirmation merveilleuse pour préserver la paix de notre esprit : TOUT ARRIVE POUR LE MIEUX!

Concentrez-vous sur l'apprentissage et le développement dont l'événement contrariant est porteur, et non
sur la colère et la peur: vous vous détendrez. La vie
deviendra plus simple. Les raisons pour lesquelles les
événements prennent ce cours se révéleront au cours de
votre existence. Souvenez-vous que…

Aucun de nous ne comprend le Grand Dessein.
Néanmoins, nous pouvons nous engager à utiliser toutes
nos expériences, bonnes ou mauvaises, comme autant
de cubes de construction pour bâtir une vie aimante et
puissante. Et dans ce cas, effectivement, tout arrivera
pour le mieux!

Une fois que vous vous en serez remis à votre moi
supérieur, vous pourrez prêter attention aux messages
issus de votre intuition, source précieuse de pistes
émanant de la sagesse dont vous êtes porteur. Et vous
mettrez à profit les nombreux outils spirituels permettant d'apaiser l'esprit, afin de découvrir l'approche la
plus aimante et la plus puissante, dans toutes les situations de votre vie. Fort de l'immense paix de l'esprit que
vous confère la pensée du «tout arrive pour le mieux»,
vous avancerez, avec la conviction qu'il y a un sens et un
but à tout cela.

Revenons à l'exemple du job que vous n'avez pas
décroché: il se peut que, plus tard, vous en trouviez
un qui vous conviendra beaucoup mieux. Si vous aviez
obtenu le premier poste, vous seriez passé à côté de cette
opportunité extraordinaire! Ou bien vous pouvez en
conclure que vous n'êtes pas au point dans vos entretiens

d'embauche et décider de suivre une formation dans ce domaine. Ainsi, vous arriverez mieux préparé à votre prochain entretien. En outre, si vous vous êtes forgé une vie personnelle très riche, comme je le conseille au chapitre 4, la déception de ne pas avoir obtenu le poste sera moins forte. Après tout, vous êtes bien plus que votre travail. Le travail n'est pas toute la vie ; il n'en est qu'une partie.

Choisissez soigneusement ce que vous demandez. Il se pourrait que vous l'obteniez !

Notre esprit logique ne sait pas ce qui est le mieux pour nous. Par conséquent, nous devons choisir très soigneusement ce que nous demandons. Le poste que vous avez demandé pourrait fort bien se révéler cauchemardesque ! Le conjoint dont vous rêviez pourrait très bien se révéler ne pas être celui ou celle que vous pensiez ! Etc.

Lorsque je n'obtiens pas la chose sur laquelle j'ai jeté mon dévolu, j'ai appris à me dire que de toute évidence, autre chose se présentera, qui sera mieux pour moi. Cette chose que je n'ai pas obtenue n'était pas pour moi. Et je fais en sorte que la déception ne dure pas. Quiconque ne s'en souvient pas souffre inutilement lorsque les choses ne se passent pas comme il l'avait imaginé.

Je sais bien que tout cela est plus facile à dire qu'à faire. La peur émanant du moi inférieur continuera à se faire jour, toujours et encore. Vous aurez besoin de vous rassurer, toujours et encore, sur le fait que «tout va bien». Paradoxalement, c'est lorsque nos émotions négatives sont les plus puissantes, lorsque nous avons le plus besoin d'un lien avec le moi supérieur, que notre détresse nous fait oublier l'existence de cette source incroyable d'amour et de puissance. Par conséquent, il faut trouver des moyens de prendre conscience que nous nous sommes éloignés de notre être profond afin de retrouver le chemin qui nous y mène.

Pour permettre cette prise de conscience, il est conseillé de pratiquer des exercices quotidiens qui viendront régulièrement nous rappeler divers principes (c'est le sujet du chapitre suivant). Intégrés à la vie quotidienne, ces exercices viendront illuminer tout ce que vous entreprenez. Une fois que vous aurez appris à ne plus jeter votre dévolu sur les choses de cette manière, vous connaîtrez le secret permettant de vivre de manière fluide avec l'énergie de l'Univers, de déposer les armes et de se réconcilier avec la vie. On dit que la vie, c'est ce qui arrive alors qu'on avait prévu autre chose. Si c'est vrai (et nous savons tous que c'est le cas), alors cela n'a aucun sens d'exiger que la vie se passe d'une certaine manière. Cela n'a aucun sens d'avancer dans la vie en empruntant un «tunnel» d'attentes, en sachant que ce tunnel conduit souvent à des déceptions. Cesser de se cramponner à la manière dont la vie est censée se passer est un acte d'amour de soi. Notre acharnement explique que nous soyons secoués par les mauvaises surprises de l'existence.

Là encore, vouloir à tout prix certaines choses nous fait souffrir, parce que le besoin de contrôler toutes les personnes et tous les événements de notre vie émane du moi inférieur. Dans le monde du moi inférieur, l'avenir est perçu comme un lieu effrayant, car nous avons le sentiment terrifiant de ne pas posséder la force nécessaire pour faire face aux événements, quoi qu'il arrive. Le moi inférieur a besoin de garanties. Or le monde extérieur n'en offre pas.

En passant au niveau du moi supérieur, nous découvrons avec soulagement les garanties que nous cherchions. Et ces garanties, c'est que :

Quoi que la vie décide de m'imposer, je saurais gérer !

Voilà une garantie puissante ! La conviction de votre force intérieure est une source de paix. Quoi que la vie décide de nous imposer, nous serons en mesure de gérer ! Il n'existe pas d'autre manière de contrôler la vie que celle-ci. Oui, l'existence est pleine de surprises. Fort de la conviction intérieure qu'il saura gérer tout ce que la vie lui réserve, l'être humain n'a plus à s'inquiéter de l'avenir. Il pourra mener sa vie avec un sentiment de liberté et d'aventure. Il pourra même commencer à en apprécier les mystères, au lieu de les percevoir comme des menaces. Quoi que la vie nous réserve, nous irons bien !

Par conséquent, l'individu qui ne fait pas ce qu'il faut pour transcender le domaine du moi inférieur continuera à vivre dans un monde de peur, avec une addiction bien compréhensible au contrôle. En passant au niveau du moi supérieur, nous nous défaisons de notre addiction au contrôle. Nous lâchons prise et nous profitons du voyage – quelle que soit la destination.

Pour avoir une idée de ce qu'on ressent lorsqu'on cesse de résister à la vie, visualisez ce qui suit, à de nombreuses reprises. Vous pourrez aussi enregistrer ce texte sur une cassette, en le lisant lentement, pour l'écouter les yeux fermés. L'image qu'il décrit possède un fort pouvoir de guérison.

Imaginez-vous au bord d'une belle rivière, qui coule dans une vallée verdoyante. Vous êtes debout, au bord de l'eau. Vous vous demandez où mène le cours de la rivière. Vous vous dites qu'il est temps de le découvrir. Sur la rive, il y a une barque. C'est un signe ! Vous montez dans l'embarcation, puis vous constatez qu'il n'y a pas de rames. Fort d'un sentiment de sécurité et d'une soif d'aventure, vous savez que vous n'en avez pas besoin et que vous laisserez la barque vous mener où bon lui semblera. Vous détachez la corde qui retient l'embarcation et vous entamez votre voyage. Vous êtes assis, droit et impatient, déterminé à profiter du voyage, quelle que soit sa destination. Vous respirez profondément et vous vous détendez, en sentant la barque prise dans le flot de la rivière. Vous savez que vous n'avez aucun contrôle sur la direction qu'elle prend et vous vous dites : « Je lâche prise et je laisse la rivière me conduire vers de nouvelles

aventures. J'ai confiance, je sais que je suis en sécurité. »
Sentez la liberté, alors que la barque vous mène de
l'avant. Vous savez que vous allez connaître des passages
mouvementés et qu'il y aura des passages de grand
calme. Tout cela fait partie du voyage. Vous prendrez
plaisir au mystère inhérent à ce périple dans une barque
stable. Et vous savez qu'une fois le voyage terminé, vous
serez content d'être passé par toutes ses étapes.

Quelle belle image ! À bien des égards, nos vies
ressemblent à ce voyage. Nous sommes tous des passa-
gers. La vie nous conduit – notre corps, notre esprit et
notre âme – vers de nouveaux lieux, à chaque instant de
chaque jour. Et nous devons construire notre confiance
et croire que notre bateau – notre moi supérieur –
connaît le chemin. Mon bateau m'a sans nul doute fait
emprunter des chemins que je n'aurais jamais trouvés
toute seule. Plus je m'en remets à mon moi supérieur
pour me guider, plus mon besoin de contrôler l'avenir
s'estompe, et plus ce voyage qu'on appelle la vie devient
fabuleux.

Pour forger cette confiance, nous devons nous servir
de nos outils spirituels. Même lorsque nous pensons
avoir réussi, de nouvelles situations se présentent,
faisant ressurgir notre besoin de contrôler. Mais plus
nous trouvons des solutions pour vivre dans le champ
de notre moi supérieur et faire confiance au Grand
Dessein, plus nous réussirons à lâcher prise et à faire
disparaître notre besoin de contrôler.

On me demande souvent comment tout peut aller pour le mieux dans un monde qui connaît guerres, incendies, tremblements de terre, assassinats, etc. (j'en parlerai dans le chapitre 8). Ma réponse tient dans une phrase que j'ai apprise à dire souvent ces derniers temps : «Je ne sais pas.» En revanche, ce que je sais, c'est que nos esprits humains ne sont pas capables de comprendre le Grand Dessein. Je ne connais pas les dimensions plus vastes de l'Univers, au-delà de mon entendement de simple mortelle. Ce que j'ai appris, c'est simplement à faire confiance.

Bien souvent, il m'est arrivé de ne pas comprendre pourquoi certains événements se produisaient dans ma vie. Plus tard, le grand miracle de leur raison d'être m'a été révélé. Je n'avais pas compris pourquoi mon premier mariage n'avait pas marché. J'ai découvert plus tard que j'avais encore beaucoup de choses à apprendre pour devenir moi-même et que pour cela, vivre seule était une étape nécessaire. Je n'ai pas compris pourquoi j'ai eu un cancer. J'ai découvert plus tard combien une maladie qui met nos jours en péril nous apprend à croquer la vie à pleines dents, dans le présent.

Par conséquent, j'ai décidé de croire qu'il y a de bonnes raisons à tout ce qui arrive sur Terre et à chacun d'entre nous. Je ne les comprendrai peut-être jamais, mais qu'importe. Lorsqu'il y a de la confiance, on se passe d'explications. Les miracles que j'ai vus tout autour de moi m'ont apporté de l'humilité. Je n'ai plus besoin d'en connaître toutes les raisons. J'ai accepté l'idée qu'il y a beaucoup de choses que je ne sais pas, que je ne saurai jamais. Alors, lorsque votre moi inférieur vous demandera : « Pourquoi ? », répondez-lui simplement !

Je ne sais pas, mais j'ai confiance : tout arrive pour le mieux. Tout cela s'inscrit dans le Grand Dessein.

Revenons-en à notre exercice de visualisation : laisser la barque vous porter sur la rivière ne signifie pas rester chez vous, les bras croisés, à attendre que la vie passe. C'est indéniablement à l'individu d'agir. On peut commencer à agir de manière plus sensée en écoutant son intelligence innée, son intuition. Que nous en ayons conscience ou pas, notre moi supérieur nous envoie en permanence des messages précis, qui peuvent nous guider là où nous devons aller, pour notre intérêt supérieur. Notre mission est d'apprendre à décrypter ces messages. Là encore, je vous présenterai différentes manières de décrypter les signaux de cette grande source de sagesse plus loin. Mais commençons par nous intéresser à l'intelligence intuitive.

Dans les sociétés occidentales, nous apprenons à réfléchir de manière logique et non intuitive. La réflexion logique est extrêmement importante. Elle aide l'être humain à traverser son existence quotidienne de simple mortel. Par exemple, il est utile de savoir que deux plus deux égale quatre, un concept essentiel pour payer ses factures ! Toutefois, la réflexion logique, très restreinte, ne fait appel qu'à une partie du cerveau.

En ajoutant la réflexion intuitive à la réflexion logique, nous accroissons considérablement notre aptitude à vivre notre existence de manière extrêmement puissante. Nous découvrons que nous disposons d'une sagesse et de facultés plus importantes que nous le pensions. L'esprit logique s'appuie sur les enseignements de l'échelon matériel, tandis que la pensée intuitive s'appuie sur ceux de l'échelle spirituelle. Lorsque les deux sont associés, les ressources qui nous guident dans le futur sont illimitées. Indéniablement, nous sommes bien plus que ce que nous pensions être !

Comme nous n'avons pas appris à utiliser la partie intuitive de notre être, la question qui se pose est la suivante : « Comment faire pour décrypter ces messages puissants qui nous parviennent ? » Voici une piste de réflexion intéressante. Chaque matin, en contemplant la journée qui s'annonce, posez les trois questions suivantes à votre moi supérieur :

Où veux-tu que j'aille ?
Que veux-tu que je fasse ?
Que veux-tu que je dise, et à qui[1] ?

---

1. Ces questions sont posées au sujet de Dieu dans *A Course in Miracles*, Volume 2, A Workbook for Students, Foundation for Inner Peace, P. O. Box 635, Tiburon, CA 94929, États-Unis, p. 121. Au chapitre 14, je décris le lien qui existe, à mon sens, entre le moi supérieur et une force supérieure.

Posez ces questions, confiant que votre sagesse et votre puissance intérieures feront leur œuvre. Puis vivez votre vie. À mesure que la journée avance, écoutez les messages intérieurs qui vous parviennent. Ce sont les messages qui émanent du cerveau intuitif. Allez là où votre énergie vous guide. Certains jours, vous aurez envie d'appeler un ami, une relation professionnelle ou quelqu'un d'autre. Ce désir est dicté par votre intuition. Là encore, voyez où ces envies vous mènent.

Au commencement, vous n'entendrez peut-être rien. Mais à terme, des conseils vous parviendront. Certaines choses ne vous parleront pas, consciemment. Mais elles parleront à votre moi supérieur. Soyez confiant. J'ai constaté que lorsque j'écoute mon intuition, elle me mène à des endroits où je ne serais jamais allée en écoutant uniquement mon esprit rationnel et logique. Et les résultats sont magiques. Permettez-moi de vous raconter l'anecdote suivante, dont j'ai déjà parlé dans *Tremblez mais osez!* Elle illustre parfaitement mon propos.

C'est en écoutant mon intuition que j'ai débuté dans l'enseignement, et à terme dans l'écriture. À l'époque, j'avais le vague projet de donner un cours sur la peur. Je remettais perpétuellement ce projet à plus tard, en grande partie parce que j'étais trop prise par mon travail d'administratrice pour avoir le temps de rédiger le descriptif et le plan du cours, puis pour trouver l'école qui aurait envie de me le confier. J'avais le sentiment que cela représentait un travail considérable. Je crois aussi que je remettais ce projet à une date ultérieure parce que la perspective d'enseigner me faisait peur (quel paradoxe : j'avais peur de donner un cours sur la manière de surmonter sa peur !).

Un jour, alors que j'étais en train de travailler au bureau, un message fort m'est venu à l'esprit : « Va à la New School for Social Research. » Je ne pouvais pas m'expliquer d'où venait ce message. Je n'avais jamais fréquenté cet établissement, et je n'y connaissais personne. En fait, je ne savais même pas où il se trouvait. Poussée par la curiosité, j'ai décidé d'aller y faire un tour. J'ai annoncé à ma secrétaire que je partais à la New School, et elle m'a demandé ce que j'allais y faire. Je lui ai répondu : « Je n'en sais rien. » Elle m'a regardé d'un drôle d'air lorsque je suis partie…

J'ai pris un taxi, qui m'a déposé devant l'école. Je suis entrée dans l'établissement, en me demandant ce que j'allais faire. J'ai vu une pancarte indiquant les différents services. Mon regard s'est arrêté sur « Service des ressources humaines ». « C'est là qu'il faut que j'aille », ai-je pensé. En mon for intérieur, je me disais que j'avais peut-être été « envoyée » là pour m'inscrire à un séminaire passionnant que proposait l'école. (À l'époque, je fréquentais bon nombre de séminaires.) L'idée d'enseigner à la New School ne m'avait jamais effleuré l'esprit.

J'ai poussé la porte du service des ressources humaines. Il n'y avait personne à l'accueil. Jetant un coup d'œil par la porte sur ma droite, j'ai vu une femme, installée à son bureau. Elle m'a demandé : «Vous cherchez quelque chose ?» Sans réfléchir, je lui ai répondu : «Je suis venue pour donner un cours sur la peur et sur les solutions permettant de la surmonter.» Sans le savoir, j'avais devant moi la responsable du service, une femme extraordinaire du nom de Ruth Van Doren.

Sidérée, elle m'a regardée avant de s'exclamer : «Je n'y crois pas ! Cela fait des mois que je cherche quelqu'un pour animer un séminaire sur la peur. C'est aujourd'hui que tous les descriptifs de cours pour notre catalogue doivent être bouclés.» Elle m'a demandé mes références et elle a semblé satisfaite de ce que je lui ai répondu. Après m'avoir expliqué qu'elle devait se dépêcher pour attraper son bus, elle m'a demandé de rédiger rapidement une description du cours – ce que j'ai fait. Elle a donné le texte à sa secrétaire, puis elle est partie en courant, après m'avoir remercié abondamment.

J'étais en état de choc ! Consciemment, je n'avais aucune intention de me proposer pour dispenser un cours ce jour-là ! Et la tâche qui, me semblait-il, allait prendre des mois – la préparation et la présentation de ma proposition de cours – m'a pris très exactement douze minutes ! Si j'avais réfléchi à ce projet de manière logique, jamais je n'aurais contacté la New School pour enseigner. Je me serais adressée aux universités où j'ai accompli mes études, Hunter College et Columbia University, et où l'on me connaissait. Mon esprit logique n'aurait jamais pensé à la New School. Mais mon esprit intuitif, lui, y avait pensé !

Ce cours a marqué un tournant dans mon existence. Cette expérience a été si positive, et elle sonnait si juste que j'ai décidé de quitter le poste que j'occupais depuis dix ans, pour me consacrer à l'enseignement et à l'écriture de livres de développement personnel. Il n'est pas anodin que l'intitulé de mon premier cours ait été Tremblez mais osez! Je me demande souvent ce qui se serait passé si je n'avais pas écouté mon intuition ce jour décisif: aurais-je jamais écrit le livre du même nom ou d'autres livres (y compris celui-ci)? Cette expérience très puissante m'a permis de comprendre qu'il existe quelque chose en moi qui a un plan plus vaste pour ma vie que je n'étais moi-même capable de l'imaginer.

Lorsqu'ils sont gouvernés par le moi inférieur, nos esprits ne sont pas capables d'imaginer les possibilités magnifiques qui s'offrent à nous. C'est pourquoi il est important d'apprendre à décrypter les messages envoyés par une partie de notre être disposant d'une vision beaucoup plus vaste, le moi supérieur.

Les gens me demandent parfois comment faire pour savoir si c'est leur intuition qui leur parle, ou si c'est le moi inférieur qui se fait passer pour le moi supérieur. Ma réponse, c'est qu'au début, on tâtonne. Faites des expériences, avec des actes anodins. Si un message intérieur vous dit d'appeler Untel ou Untel, et si vous ne comprenez pas pourquoi, faites-le malgré tout. Et voyez ce qui se passe. Ou bien allez quelque part où vous êtes «poussé» à aller. Ou bien lisez ce livre qui vous a sauté aux yeux dans la librairie, etc.

Un indice permettant de déterminer qu'il s'agit bien d'un message du moi supérieur est que son but est bon. Quand l'action que nous sommes poussés à faire est une action positive, nous pouvons en conclure que nous sommes sans doute sur la longueur d'ondes du moi supérieur.

Voici un autre exercice qui m'a été très utile. Il vient de Ram Dass, l'un de mes enseignants spirituels préférés. Lorsque j'ai une décision à prendre, je ne me lamente pas en répétant: «Mais que dois-je faire?», j'adopte une approche plus paisible en me disant: «Je me demande ce que Susan va faire.»

D'une certaine manière, je deviens alors observatrice, plutôt que décisionnaire. Je me distancie de l'action. Confiante que Susan sera guidée par la sagesse dont elle est porteuse, je chasse la question de mon esprit. Plus tard, je me surprends à vivre cette réponse sans effort.

Une autre chose utile, à mes yeux, consiste à placer des citations partout dans la maison ou au bureau, pour vous rafraîchir la mémoire lorsque vous oubliez de lâcher prise et d'être confiant. Ajoutez-y quelques citations pleines d'humour, comme: «Quand il commence à pleuvoir, laissez faire.» (Anonyme) «Ne poussez pas la rivière. Elle coule toute seule.» (Barry Stevens[1]) «Les gens planifient. Et Dieu rit!» (Anonyme)

----

1. Barry Stevens, *Don't Push the River: It Flows by Itself*, Moab, Utah, Real People Press, 1970.

Ça y est, vous maîtrisez le b.a.ba. nécessaire pour aller de l'avant. Les deux chapitres qui suivent vous aideront à mettre en pratique ce concept essentiel dans divers domaines de votre existence. Souvenez-vous : une fois que vous aurez laissé le moi inférieur derrière vous, et que vous vous en remettrez aux événements de votre vie, vous serez libre d'accéder au moi supérieur, là où la peur, la contrariété et la déception disparaissent, et où de nouvelles occasions s'offrent constamment à vous, pour une existence magnifique.

CHAPITRE 7

Laissez faire la vie…
Tout se passera très bien

« La paix est un espace vivant qui permet la danse de la gentillesse, de la gaieté et de la liberté. » (Anonyme)

La paix, effectivement, aide à danser la danse de la gentillesse, de la gaieté et de la liberté. Mais d'où vient cette paix insaisissable ? Certainement pas des drames externes de notre vie ! Non, la paix vient de l'intérieur – du moi supérieur. C'est là que l'être humain apprend à lâcher prise et à se défaire de son besoin addictif que la vie se passe selon ses désirs.

Qu'il s'agisse des petits détails de la vie ou de ses grands événements, nous devons cesser de nous cramponner à la manière dont les choses sont censées se passer. Faites du lâcher prise votre devise dans la vie, dès que survient une contrariété – pour le passé, le présent et l'avenir. Voici quelques suggestions permettant de revoir cette manière de penser qui vous maintient dans la lutte.

Lâchez prise pour les détails insignifiants

Toujours et encore, je constate avec étonnement combien les petits détails de l'existence provoquent des contrariétés et des luttes. J'ai vu tant de gens (moi la première !) gâcher un dîner agréable au restaurant parce que leur table était mal placée, le service trop lent, l'éclairage désagréable, ou le serveur pas assez poli. Vous en conviendrez avec moi, il s'agit de détails sans aucune importance face aux événements majeurs de l'Univers. Pourtant, ils mettent les gens de très mauvaise humeur et entament leur paix, ainsi que la paix de tous ceux qui les entourent !

Oui, notre addiction au contrôle a une incidence sur les plus petits détails de notre existence. Alan Cohen raconte une anecdote extraordinaire sur un grand moment d'éveil qu'il a connu, illustrant la nécessité de lâcher prise concernant les détails triviaux de l'existence[1].Cette prise de conscience n'a pas eu lieu au sommet d'une montagne majestueuse, ni au bord d'un vaste océan. Non. Ce moment d'éveil a eu lieu chez McDonald's (quantité de chemins mènent à l'éveil !).

Il raconte que dès qu'il est entré chez McDonald's pour déjeuner, il s'est senti horriblement mal. Il s'est souvenu qu'on lui avait raconté que les frites contenaient

---

1. Alan Cohen, *Joy is My Compass*, Port Huron, Michigan, Alan Cohen Publications, 1990, p. 9-2. Je remercie Alan pour ses réflexions et aussi de m'avoir donné l'autorisation de raconter son histoire magnifique.

du sucre. Il s'est dit qu'il y avait sans doute des conservateurs dans les chaussons aux pommes. Il a déploré la présence d'enfants turbulents qui chahutaient, etc. Rien n'allait. Et il s'est juré de ne jamais remettre les pieds chez McDonald's. Et puis, alors qu'il était installé, pris comme il le dit dans le «smog de mes propres pensées», la voix de son moi supérieur s'est fait entendre, forte et claire. Elle lui a posé une question profonde et décisive :

«Et si en réalité, tout allait parfaitement bien?»

Il a manqué s'étouffer : «Comment ça? Je suis en plein cauchemar!» Son moi supérieur lui a répondu :

«Et si rien autour de toi n'avait le pouvoir de te rendre malheureux?»

Quelle idée puissante! Quelle avancée! Brusquement, Alan Cohen a tout vu d'un œil nouveau. Il a regardé les enfants bruyants, et il a décidé que leurs rires et leurs cris étaient de la joie de vivre. Quel mal y avait-il à manifester un peu de joie, en pleine journée? Il a décidé qu'un peu de sucre et un peu de conservateur n'allaient pas entamer sa capacité à aimer. Il a décidé que tout ce qui l'avait dérangé quelques instants plus tôt était en fait parfait. Il a dit : «Lorsque j'ai décidé que tout allait bien, quelque chose s'est produit en moi. J'ai éprouvé du soulagement. Mon cœur s'est ouvert. J'étais en paix. J'avais trouvé la réponse à ma présence ici. J'avais trouvé la réponse à toute l'existence : prenons les choses telles qu'elles sont. »

Fort de cette conviction, il a fait la queue pour recommander des frites et un chausson aux pommes, en concluant que c'était ce que l'on mangeait au paradis ! Et il a profité du miracle qui se produit lorsqu'on décide que tout va bien.

Voilà un exemple extraordinaire qui démontre combien l'expérience de la vie peut être différente si on écoute le moi supérieur et non le moi inférieur. Après avoir lu cette anecdote, j'ai pensé à tous ces petits détails de mon existence qui m'obsédaient : obtenir la bonne table au restaurant, la météo, la bourse, les embouteillages, les points de vue différents des miens, le comportement des autres, la course contre la montre, etc. Quel combat !

Et si toutes les tables étaient parfaites ? Et si le temps était très bien tel qu'il est ? Et si l'évolution de mes placements en bourse n'avait aucune incidence sur mon sentiment de sécurité ? Et si les embouteillages faisaient juste partie de la vie ? Et si les avis ou les comportements des autres n'avaient rien à voir avec mon bonheur à moi ? Et si la vie continuait tout aussi joyeusement si j'arrivais un peu en retard à un rendez-vous ?

Et si tout allait parfaitement bien ?

Quelle libération ! Si tout allait parfaitement bien, je porterais la vie comme un vêtement ample, au lieu de me battre pour que tout soit différent.

Comme je l'ai dit plus haut, notre combat avec la vie est essentiellement lié à des détails anodins. Les grands événements, eux, suscitent souvent une incroyable sensation de puissance et de connaissance intérieure. J'ai eu un cancer du sein, voici de nombreuses années. Et j'ai affronté la situation de main de maître. J'en ai fait non pas un drame, mais un triomphe. En revanche, je me suis fait faire une permanente complètement ratée, trois semaines avant mon mariage avec mon époux actuel. En ai-je fait un triomphe ? Non. On aurait dit que la Terre allait s'arrêter de tourner ! Même après le mariage, je suis restée contrariée pendant des mois, jusqu'à ce que les cheveux crépus finissent par s'en aller.

Est-ce que tout cela a un sens, sur le plan spirituel ? Pas du tout ! Mon moi supérieur se moque parfaitement de ma coiffure. Il paraît difficile de croire que mon moi inférieur s'en préoccupait autant, mais c'est la vérité. Si j'avais su alors ce que je sais aujourd'hui, j'aurais été dans un bien meilleur état d'esprit et je me serais dit :

Lâche prise. Laisse la paix. Laisse la joie.

Pensez à tous ces petits riens qui vous contrarient. Une bosse sur votre nouvelle voiture. Un achat que vous avez oublié de faire au supermarché. Les deux heures que vous avez passées à attendre à l'aéroport parce que l'avion avait du retard. Une averse juste le jour où vous avez invité des amis pour un barbecue. C'est dans ces moments-là qu'il faut prendre du recul et se poser la question fondamentale : « Et si, en fait, tout allait parfaitement bien ? »

Quand je regarde le bouddha qui trône sur mon bureau, je comprends maintenant que l'une des raisons pour lesquelles il sourit tout le temps, c'est parce qu'il sait déjà que tout va bien ! Je pense que nous devrions tous mettre des petits mots, partout chez nous, bien en évidence, comportant le message suivant : « Et si, en fait, tout allait parfaitement bien ? » Cela nous aiderait à nous souvenir qu'il faut s'extraire du radis du moi inférieur et s'élever vers la liberté du moi supérieur.

Faites l'exercice suivant : notez sur une feuille de papier tout ce qui vous empoisonne l'existence et pour chaque point, demandez-vous : « Et si tout allait parfaitement bien ? » À chaque fois que vous vous poserez la question, inspirez profondément et détendez-vous. Vous ressentirez une sensation de paix. Répétez l'exercice à plusieurs reprises, jusqu'à ce que la question soit associée à une inspiration profonde et à une sensation de détente. Au quotidien, soyez attentif aux moments où vous cherchez à tout contrôler autour de vous. Ajoutez ces situations à votre liste et continuez à vous demander : « Et si tout allait parfaitement bien ? »

Une autre solution efficace pour s'évader de la prison du moi inférieur consiste simplement à changer de point de vue. Pourquoi voyons-nous toujours ce qui manque et non ce qui est là ? Pourquoi voyons-nous toujours les choses négatives et non celles qui sont positives ? Pourquoi nous focalisons-nous toujours sur la laideur et pas sur la beauté ? En se concentrant sur ce qui manque, sur ce qui est mauvais, sur ce qui est laid, on vit au niveau du moi inférieur. Pourquoi ne pas s'élever au-dessus du moi inférieur, pour voir à quoi ressemble le monde envisagé depuis le moi supérieur ?

Par exemple, au lieu de se focaliser sur la table mal située au restaurant, concentrons-nous sur la compagnie agréable, sur le bonheur de déguster un repas cuisiné pour vous par quelqu'un d'autre, sur la chance d'avoir suffisamment d'argent pour s'offrir un dîner au restaurant, sur la bénédiction d'être en bonne santé et de pouvoir sortir pour profiter d'une belle soirée, etc. D'accord, la table est peut-être mal située. Et alors ? La soirée est fabuleuse à 99 %. Alors, pourquoi se focaliser sur le 1 % déplaisant ?

Ce changement de point de vue peut s'appliquer à tous les domaines de l'existence qui sont des sources de contrariété. La vérité, c'est que des bénédictions nous entourent en permanence. Ce changement de point de vue n'est pas un leurre. Au contraire,

On se leurre en se concentrant sur les mauvaises choses !

Relisez la phrase précédente ! Ainsi, la prochaine fois que vous aurez une table mal située, et qu'il n'y en aura pas d'autre disponible, dites-vous : « D'accord, la table est peut-être mal placée, mais voyons tout ce qu'il y a de merveilleux dans cette situation. Quelle chance j'ai ! » L'individu qui aborde la vie sous cet angle a fait un pas en avant dans la lutte contre ses addictions au contrôle, et bien peu de chose peut entamer sa paix.

Lâchez prise pour les choses importantes

Lâcher prise semble raisonnable lorsqu'il s'agit d'une table au restaurant. Mais peut-on se dire : « Et si en fait, tout allait parfaitement bien ? » lorsqu'on parle de la mort d'êtres chers, de faillite, de la perte de son domicile et de toutes ces autres situations de crise qui peuvent toucher chacun d'entre nous, à tout moment ? Vous connaissez ma réponse. OUI ! Deux possibilités s'offrent à nous :

Soit on décide que tout va bien, soit on se positionne en victime démunie.

La première possibilité est indéniablement la meilleure ! Pour déposer les armes et se réconcilier avec la vie, il est essentiel d'arriver à lâcher prise et à se défaire de la mentalité de victime. Une victime ne profite pas de la vie. Elle est trop occupée à s'apitoyer sur son sort, à se sentir impuissante, à se poser en martyr, à s'inquiéter, à se plaindre, à voir le mauvais côté des choses, à ne profiter de rien et à adresser des reproches à tout le monde. Voilà un tableau qui ne respire pas le bonheur… Nulle trace du moi supérieur ! Et pourtant, il suffit de regarder autour de soi pour constater qu'il y a une véritable épidémie de victimisation. Charles Sykes relève le ridicule de la situation : «Désormais, le statut de victime n'est plus seulement revendiqué par des membres de minorités, mais de plus en plus par la classe moyenne, les artistes millionnaires, les étudiants de grandes écoles, les "enfants-adultes", les obèses, les codépendants, les victimes du "lookisme" (discrimination contre les gens peu attirants), le jeunisme, les «parents toxiques», et tous les autres porteurs de blessures psychiques – qui sont désormais tous impliqués dans un jeu complexe de surenchère à la victimisation[1].»

Malheureusement, les gens n'apprennent pas à assumer leurs responsabilités pour leurs expériences dans la vie. Au contraire, ils se voient invités à les abdiquer. On excuse meurtres, viols et autres formes de violence et d'avilissement par une enfance défavorisée, des maltraitances conjugales, ou autre chose. À terme, cela ne profite à personne.

Par définition, la victimisation implique une perte totale de pouvoir et une vie placée sous le signe du malheur. Posons-nous la question suivante : «Pourquoi nous immergeons-nous dans tant de pesanteur et de malheur ? Pourquoi cherchons-nous à nous engager dans une surenchère où chacun cherche à être le plus

---

1. Charles J. Sykes, *A Nation of Victims: The Decay of the American Character*, New York, St. Martin's Press, 1992, p. 12.

pitoyable? Pourquoi choisissons-nous d'entamer notre puissance de la sorte?»

Si nous agissons ainsi, c'est parce que nous n'avons pas encore trouvé la voie qui mène au moi supérieur. Par conséquent, nous nous noyons dans la toxicité du moi inférieur, où nous sommes effrayés, démunis et mal informés! Résultat: nous nous défaussons de la responsabilité de prendre notre vie en main. Nous perdons le pouvoir qui nous permettrait de nous forger la vie à laquelle nous aspirons. Nous devenons aveugles à toutes les possibilités que recèlent les défis de l'existence.

Voici l'un de mes outils préférés pour se sortir de ce marasme et pour se défaire de la mentalité de victime:

Regardez-vous dans un miroir, et non dans une loupe[1]!

Ce conseil ne sert pas à se faire des reproches (ce qui ne sert à rien), mais à se rendre plus fort. En nous regardant dans un miroir, nous découvrons que nous ne pouvons reprocher à personne de nous piétiner. Nous constatons aussi que nous ne nous écartons pas lorsque

---

1. Dans *Opening Our Hearts to Men* (*Osez le grand amour*, Marabout, 2006), qui explique comment s'assumer et faire honneur à l'être humain que nous sommes, j'explique que l'idée de se regarder dans un miroir, et non dans une loupe, peut nous rendre plus fort, dans tous les domaines de l'existence.

quelqu'un cherche à nous piétiner. Nous découvrons alors que le créateur de nos expériences, c'est nous – et pas la société, nos parents, ou qui que ce soit ou quoi que ce soit d'autre. Le constat s'impose : nous sommes responsables de nos réactions à ce que la vie nous réserve.

Une fois que l'individu a compris cette réalité essentielle, il peut entamer son périple vers le meilleur de son être – son moi supérieur. Au cours de ce voyage, son cœur commence à s'ouvrir, le combat prend fin et la danse avec l'amour et la vie commence.

Voici un autre de mes outils fétiches pour se défaire de la mentalité de victime :

Dites OUI à votre Univers !

Comme je l'ai expliqué dans *Tremblez mais osez !*, dire OUI à son Univers signifie lâcher prise, cesser de résister et s'ouvrir aux occasions inhérentes à tous les événements de l'existence. Dire OUI est indéniablement un outil du moi supérieur ! À l'inverse, dire NON est indéniablement un outil du moi inférieur ! Ce que je veux dire, c'est que dire NON signifie être victime. Cela signifie que l'on résiste aux occasions de développement. Dire NON crée des tensions, de l'épuisement et de la lutte. Dire OUI réduit les contrariétés et l'anxiété et permet à chacun de devenir l'artisan de nouvelles expériences enrichissantes. L'individu qui dit OUI ne baisse pas les bras, mais il se redresse pour agir, nourri de la conviction qu'il peut donner du sens à tout ce que la vie lui réserve.

Dire oui signifie se placer dans le domaine de l'action. Là, vous pourrez…

Trouver les bénédictions de l'existence. Trouver les leçons à apprendre. Trouver la force que vous n'auriez jamais cru posséder. Trouver le triomphe.

Indiscutablement, dire OUI est un outil extrêmement puissant !

Comme je l'ai déjà mentionné, j'ai eu un cancer du sein, voici de nombreuses années. C'est à cette époque que j'ai découvert la sagesse profonde qu'il y a à dire OUI à l'Univers. Je suis infiniment reconnaissante d'avoir pu puiser dans cette sagesse intérieure qui m'a aidée à découvrir les bénédictions de l'existence, à trouver les leçons à apprendre, à trouver la force que je n'aurais jamais cru posséder – et, à terme, à trouver le triomphe.

Toutes ces leçons me permettent d'affirmer que ce cancer a été l'une des expériences les plus émancipatrices de mon existence. Qu'ai-je appris ? J'ai appris que la sexualité n'a rien à voir avec l'absence ou la présence d'un sein (mesdames, tenez-le vous pour dit !). J'ai appris que la maladie est souvent provoquée par des émotions négatives. J'ai donc fait l'effort conscient de gérer toutes les colères et les souffrances anciennes que je portais en moi. Ce qui a considérablement changé ma vie ! J'ai appris qu'une crise peut renforcer l'amour – et j'ai épousé l'homme extraordinaire qui est toujours à mes côtés. J'ai appris que nous ne pouvons tenir la vie pour acquise. Par conséquent, mieux vaut en profiter pendant qu'on la possède. J'ai appris tout cela, et bien d'autres choses encore.

Bien que mon expérience du cancer ait été porteuse de nombreuses bénédictions, je ne choisirais pas le cancer comme mode d'enseignement (si j'avais le choix, j'opterais sans doute pour des vacances en Italie !). Mais c'est le cancer que la vie a mis sur mon chemin, et heureusement, j'ai laissé mon moi supérieur, et non mon moi inférieur, me guider. J'ai choisi de dire OUI, en m'ouvrant à toutes les possibilités, au lieu de dire NON et de me considérer comme une victime démunie.

Dans *Tremblez mais osez!*, vous découvrirez les histoires incroyables de gens qui ont dit OUI à leur Univers, notamment celle de Victor Frankl qui a su dire OUI aux horreurs d'un camp de concentration. Ces histoires illustrent notre immense capacité à nous transcender jusqu'au niveau le plus élevé de notre être, et ce, quelles que soient les circonstances.

Nous sommes nombreux à être des victimes par habitude. Souvent, nous ne réalisons même pas que nous nous plaçons dans cette position. Récemment, à un cocktail, une femme est venue me voir en me disant : « Je me présente, je m'appelle Laura, fille d'alcooliques. » J'en suis restée pantoise, en pensant : « Voilà qui est pour le moins réducteur ! » Et puis j'ai réfléchi à toutes les étiquettes que les gens se collent : « Je suis le survivant d'un inceste », « Je suis la survivante d'un cancer du sein », « Je suis la victime d'un viol ». Si ces étiquettes peuvent avoir un sens pour se présenter dans un groupe de parole ou lors d'une thérapie de groupe, elles sont totalement inappropriées dans la vie en général. Il est dangereux de se définir par son statut de victime, et non par la force incroyable qui nous a été donnée pour faire face aux événements, quelle que soit leur atrocité. Oui, il est important d'accomplir un travail sur les implications psychologiques d'une enfance malheureuse, ou sur d'autres événements, mais...

On n'acquiert pas une bonne santé en perpétuant la maladie!

Je trouve formidable qu'il y ait autant de groupes de parole, de thérapies de groupe, de programmes en douze étapes, etc. qui aident les gens à devenir forts en surmontant un passé difficile. J'encourage tout le monde à y participer. Le processus de groupe a apporté des changements positifs considérables à mon existence. Parallèlement, je vous incite vivement *à quitter tout programme ou tout groupe (ou à cesser toute thérapie de groupe) qui encourage une mentalité de victime*[1].

La prochaine fois que vous serez amené à définir qui vous êtes, n'émettez pas le message «Je suis une victime», mais plutôt le message «je suis le récipien-

---

1. Je vous invite à lire le chapitre 8 de mon livre *Osez briser la glace*, pour découvrir ce qu'est un processus de groupe sain.

daire de nombreuses bénédictions». Répétez-le-vous, toujours et encore, chaque jour. Rapidement, le poids de négativité s'allégera et vous vous sentirez libre de remarquer tout ce qui est beau dans votre existence.

Dans la vie, je crois que la chose la plus destructrice qui soit, pour le respect de soi et pour la qualité de vie en général, c'est de s'envisager comme une victime. Un livre magnifique, *Héritage spirituel d'une enfance difficile*, de Wayne Muller[1] pousse plus loin cette réflexion. L'auteur avance une idée intéressante puissante : ceux d'entre nous qui ont eu une enfance difficile sont «avantagés» ! Nous pouvons tous tirer des choses magnifiques de nos expériences – passées, actuelles et à venir. En agissant ainsi, la mentalité de victime s'estompe…

Par ailleurs, nous devons aussi empêcher les autres de nous cataloguer comme des victimes. Par exemple, une femme qui a appris que j'avais eu un cancer du sein m'a regardée avec compassion. «Oh, vous êtes une survivante du cancer» m'a-t-elle dit. Cette étiquette m'a déplu. Je lui ai répondu : «Non, je suis un être humain qui a beaucoup de chance, et il se trouve que parmi les expériences de ma vie, il y a eu un cancer. C'était une expérience enrichissante. Je considère cela comme un cadeau et je suis reconnaissante d'être en vie.» Elle est restée soufflée, pensant sans doute me faire plaisir en s'apitoyant sur mon sort !

1. Le Jour, 1993.

De manière plus générale, nous sommes perpétuellement assaillis de messages qui nous assènent que nous sommes opprimés, d'une manière ou d'une autre. Or ces messages sous-entendent que nous ne possédons pas la force, ni l'intelligence, ni les aptitudes nécessaires pour gérer nos vies. Les émetteurs de ces messages nous voient comme des personnes démunies, désespérées et faibles. Ils nous croient incapables de nous rassembler, de nous relever et de vivre une vie placée sous le signe de la confiance et de l'utilité. Ce qui est pour le moins insultant !

La vérité est que nous ne sommes pas démunis, désespérés, faibles et incapables. La vérité est que nous ne sommes pas impuissants ! La vérité est que tous les événements de l'existence peuvent rendre l'être humain plus fort, même s'ils sont douloureux. Pour moi, la vie permet de donner naissance au meilleur de notre être. Quiconque se place dans le rôle de la victime et rejette systématiquement la faute sur les autres ne donne pas naissance au meilleur de son être. Il entame sa puissance !

Au lieu de rejeter la faute sur autrui, nous apprenons à assumer la responsabilité de notre vie, à honorer celui ou celle que nous sommes, et à nous forger une belle vie puissante – ce qui est impossible lorsqu'on éprouve de la colère et de la rancœur. On ne peut y arriver qu'en s'appuyant sur l'immense force que recèle notre être.

S'il existe un enfer sur Terre, il se définit par une attitude de victime, en proie à des sentiments de colère et de rancœur.

S'il y a un paradis sur terre, il se définit par une vie vécue avec puissance et amour, par un être humain créateur de sa propre existence.

Il faut savoir qu'à chaque fois que nous attribuons à quelqu'un d'autre ou à quelque chose la responsabilité de ce qui se passe dans notre vie, nous abandonnons tout pouvoir.

J'ai assisté à une « célébration » organisée par Wayne Muller pour des malades du sida et leurs familles, leurs amis et leurs proches. Plus de mille personnes étaient réunies dans une église. Comment célèbre-t-on le sida ? Avec trois heures de chants, de prières, de récits partagés, de rires, de bougies allumées et de bonheur pour le cadeau de la vie.

Au cours de ces trois heures, tous les participants ont dit OUI à l'Univers, même si cet Univers connaît le sida. Tous avaient pleinement conscience qu'une maladie aussi terrible implique le deuil, mais aussi des relations qui s'apaisent, des cœurs qui s'ouvrent, des amitiés qui s'approfondissent, et des familles qui se rapprochent, pour devenir des acteurs de ce monde.

L'un de mes amis proches, Carlo, souffre d'une maladie, le syndrome de fatigue chronique, qui l'a quasiment empêché de sortir de chez lui pendant quelques années. Cela n'a pas été facile pour lui, qui avait toujours été très actif. Au début, il a résisté à ce qui lui arrivait, et il s'est rendu la vie impossible. Puis au bout d'un moment, il a cessé de résister. Il a lâché prise. Il a dit

OUI et il a décidé de profiter de ce temps pour explorer les bénédictions de son existence.

Il a appris à méditer. Il a écrit un livre. Et cet homme qui avait travaillé dans le domaine social a appris à demander de l'aide, il a appris ce que cela signifiait d'être du côté du bénéficiaire. Il a appris à quel point ses amis, qui se sont rapprochés de lui, étaient précieux. Et, plus important, il a trouvé le lien avec sa puissance et son amour intérieurs. Un jour, il m'a dit : « Quand on te dépouille de tous tes soutiens, tu découvres ce qui te soutient réellement. »

Carlo a découvert la confiance inhérente à une vie vécue depuis le moi supérieur. Il a lâché prise et a abandonné beaucoup de choses associées à son moi inférieur, notamment son besoin de tout contrôler.

Par conséquent, pensez à tout ce qui pourrait vraiment mal tourner dans votre vie et concluez-en que tout va bien. Décidez que vous avez le pouvoir de dire OUI à tout cela. Ce faisant, vous découvrirez la source illimitée de force intérieure qui se cache en chacun de nous. Il ne saurait y avoir de plus grand réconfort. Lorsqu'on atteint cet état de bien-être, on peut lâcher prise et abandonner son besoin de contrôler, même pour les aspects les plus importants de l'existence. La phrase suivante prend alors tout son sens :

Ne vous inquiétez pas pour les détails... or tout n'est que détail !

Envisagé depuis le moi supérieur, tout n'est effectivement que détail! Ce qui est important, c'est notre capacité à intégrer ce que la vie nous réserve et à nous en servir pour avoir accès à l'immense réservoir de puissance et d'amour qui se cache en nous.

CHAPITRE 8

Sentez-vous en sécurité
dans un monde dangereux

« Pour atteindre véritablement la paix de l'esprit, nous devons connaître la faute avec laquelle nous vivons, la bombe à retardement cachée dans notre placard, et réussir à profiter malgré tout de notre paradis terrestre. L'important n'est pas l'absence de problème. C'est la manière dont l'individu vit avec ce problème. » (Chungliang Al Huang[1])

Inutile de vous rappeler que nous vivons dans un monde où les dangers sont omniprésents. Chaque jour, la presse et les journaux télévisés nous assènent leur lot de violence, de maladies incurables, de catastrophes naturelles et d'innombrables tragédies qui pourraient frapper chacun d'entre nous, à tout âge, à n'importe quelle heure de la journée. Tout cela donne envie de prendre ses jambes à son cou et de s'enfuir. Mais pour aller où ? Nulle part !

Or peut-on apprendre à lâcher prise et à se réconcilier avec la vie dans un tel environnement, où les dangers

1. Chungliang Al Huang, *Quantum Soup: Fortune Cookies in Crisis*, Berkeley, Celestial Arts, 1991, p. 59.

sont innombrables? Là encore, la réponse est OUI! Gertrude Stein a dit: «Quand on sait combien tout est dangereux, rien n'est réellement très effrayant!»

Comme elle a raison! Voici quelques années, une maladie s'est déclarée au Nouveau-Mexique, dont je suis originaire. Il s'agissait de l'hantavirus, qui a tué plus de vingt personnes dans l'État avant que les médecins ne parviennent à identifier la maladie et les moyens de la soigner. Lorsque mon mari et moi avons appris l'existence du virus, nous nous sommes regardés avant de dire: «Que faisons-nous ici? Partons!» Puis nous avons commencé à citer des endroits où nous pourrions aller vivre. «On pourrait retourner à Los Angeles», ai-je proposé. «Il y a des tremblements de terre», a répondu mon mari. «Alors on pourrait s'installer en Floride», ai-je dit. «Il y a des ouragans», a-t-il répondu. Et ainsi de suite. Nous avons fini par éclater de rire, en constatant qu'aucun endroit n'est sûr (tout du moins si on retient la définition habituelle de la sécurité).

Bizarrement, après cette prise de conscience, notre peur de l'hantavirus s'est estompée, cédant la place à un sentiment de calme: nous n'avions pas besoin d'aller où que ce soit pour être en sécurité, puisqu'un tel endroit n'existe pas! Nous pouvions donc rester là où nous étions.

L'un de mes amis, Ken, a appris cette leçon à ses dépens. Il a décidé de quitter Manhattan et ses «dangers» pour offrir davantage de sécurité à ses enfants. Il est devenu pasteur d'une petite église, dans une bourgade paisible où, pensait-il, sa famille serait en sécurité. Une nuit, il a entendu du bruit dans la chambre de sa fille. Lorsqu'il est allé voir ce qui se passait, il a découvert un intrus qui s'était introduit chez eux et qui essayait d'étrangler l'enfant. Si le bruit ne l'avait pas réveillé, sa fille ne serait plus de ce monde. La mésaventure de Ken nous montre que…

Rien ne sert d'essayer d'échapper au danger. Le danger fait partie – et a toujours fait partie – de la vie. Jamais, au cours de l'Histoire, il n'y a eu de période sûre, ni d'endroit sûr. Le lot de l'être humain est de vivre dans un monde dangereux.

Comment peut-on vivre dans ce monde sans se rendre malade de peur ? Tout d'abord, il faut apprendre à se faire une raison. Là encore, lâchez prise et renoncez à l'idée que le monde est différent de ce qu'il est. Posons-nous la question suivante : « Et si tout allait parfaitement bien ? » Il faut qu'il en soit ainsi, car il y a peu de chances que les choses changent. Fort de cette conviction, nous nous détendons. Nous rions de notre situation difficile. Nous nous amusons malgré le danger. Si quelque chose doit arriver, c'est dans le cours des choses. Personnellement, je trouve cette approche très efficace, dans quantité de situations. Par exemple quand je prends l'avion. En cas de turbulences, mon rythme cardiaque s'accélère, mes muscles se raidissent – c'est un réflexe, la réponse du corps à la peur. Lorsque cela se produit, je me dis simplement…

« Parfait, Univers. À toi de prendre le relais. »

Ce qui ne signifie pas « Très bien, Univers. Fais que rien n'arrive à l'avion et conduis-moi à bon port. » Non. Cela signifie :

« Parfait, Univers. À toi de prendre le relais. Quels que soient les événements qui surviendront, ils sont dans le cours des choses. Je fais confiance au Grand Dessein. J'ai confiance que tout arrive comme prévu. »

Ce mode de pensée me procure un soulagement considérable. Une fois que j'ai demandé à l'Univers de prendre le relais, mes muscles se détendent, mon rythme cardiaque ralentit. Cela fait bien longtemps que j'ai cessé de me rendre malade en essayant d'empêcher l'avion de s'écraser – ce qui est épuisant ! Si l'avion doit s'écraser, il s'écrasera. Il n'y a rien que je puisse faire. Cette approche me permet de déposer les armes et de profiter du voyage.

Récemment, le Midwest des États-Unis a connu des inondations catastrophiques. J'ai été frappée par les mots d'une femme, dont la maison avait été détruite et qui a dû partir avec sa famille, en emportant leurs quelques biens. Elle a dit : « Mon père avait une excellente philosophie. Il disait : "S'il y a quelque chose que tu peux faire, bouge-toi et fais-le. Mais si tu ne peux rien faire, ne te rends pas malade !" » Le père de cette femme était d'une infinie sagesse !

Les habitants de la Californie, surtout ceux de la région de Los Angeles, nous donnent une excellente leçon. Ils ne se laissent pas abattre, alors qu'ils connaissent des tremblements de terre, des émeutes et des incendies. En passant sur Sunset Boulevard, un jour, j'ai vu un panneau d'affichage extraordinaire, comportant une citation du créateur d'accessoires Kenneth Cole : « Tremblements de terre, émeutes, incendies… Eh ben dites donc[1] ! »

On dirait que Cole est un observateur commentant les événements du jour, sans être vraiment concerné ! Je connais beaucoup d'habitants de Los Angeles qui ont la même approche pleine d'humour et qui ne se laissent pas démonter par ce qui se passe dans leur ville. Pour eux, Los Angeles reste l'endroit le plus extraordinaire au monde. Et tous les dangers de la ville font partie du décor.

Tous se « protègent » de leur mieux. Toutefois, au final, ils savent bien qu'ils n'ont pas une grande influence sur la manière dont la terre tremblera, dont les incendies se propageront ou dont les tensions raciales s'exacerberont. La seule chose qu'ils peuvent contrôler, c'est leur réaction aux événements. Et la plupart d'entre eux gèrent à merveille leurs réactions. Comme l'illustre la mésaventure de Ken, déménager à un endroit plus « sûr » ne constitue pas une garantie de sécurité et ils le savent.

1. Utilisé avec l'autorisation de Kenneth Cole.

Ils se disent que lorsqu'on aime vivre à un endroit, il faut profiter de chaque moment qu'on y passe et cesser de s'inquiéter de tout ce qui pourrait arriver.

Michael Ventura a écrit un article passionnant sur les Californiens, intitulé «The Earthquake People» («Le peuple du tremblement de terre»), dans lequel il avance l'idée que nous appartenons tous au peuple du tremblement de terre[1]. Nous vivons sous la menace d'un danger précis et manifeste. Nous devons tous lâcher prise et renoncer à notre désir de sécurité. Il raconte l'histoire de Achaan Chah Subato, un moine thaïlandais qui n'est plus de ce monde. Quelqu'un lui a demandé comment être heureux dans un monde où rien n'est permanent, où l'on ne peut pas se protéger ni protéger ses proches du danger. Achaan Chah Subato a levé un verre en disant: «Quelqu'un m'a donné ce verre, qui me plaît vraiment. Il contient mon eau, il brille au soleil. Quand je le touche, il résonne. Un jour, le vent le fera peut-être tomber de son étagère, ou bien mon coude le fera tomber de la table. Je sais que ce verre est déjà cassé. Alors j'en profite pleinement.»

Relisez bien cette dernière phrase. Comme elle est profonde et libératrice! Il n'y a rien à quoi l'on puisse s'accrocher quand on sait que le «verre» est déjà cassé et qu'il vaut mieux en profiter maintenant. Oui, un jour,

---

1. Michael Ventura, «The Earthquake People», *Psychology Today*, mai-juin 1994, p. 14.

tout ce que nous aimons de tout cœur appartiendra au passé. Dans les jours, les années, les décennies ou les siècles qui viennent, le monde tel que nous le connaissons aujourd'hui aura définitivement changé ou disparu. Que ce constat réaliste ne vous angoisse pas. Voyez plutôt la leçon fondamentale qu'il convient d'en tirer.

À quoi bon s'accrocher autant à des choses auxquelles, dans le grand ordre du monde, on ne peut s'accrocher ?

Tout change, en permanence. C'est dans la nature du monde. Par conséquent, au lieu de s'inquiéter de ce qui va arriver, mieux vaut profiter de chaque instant qui nous est offert. Tous les événements de la vie, qu'ils soient bons ou mauvais, permettent d'apprendre beaucoup de choses. Cessons de remettre la vie à plus tard, pour vivre le plus pleinement possible.

Les dangers que recèle notre monde sont autant de coups de semonce bénis. Ils nous disent de vivre notre vie MAINTENANT – pas demain, pas quand les enfants seront grands, pas quand nous serons à la retraite – mais MAINTENANT !

Personne n'est obligé de vivre dans la peur, même si les moments de peur sont inévitables parfois. Nous ne sommes pas obligés de vivre dans le déni de nous-mêmes, en tournant le dos aux nombreuses possibilités de mener une vie extraordinaire. L'individu qui sait que son temps sur Terre est compté apprend plus facilement à vivre au jour le jour – non pas dans l'autodestruction, mais d'une manière susceptible de le conduire à la richesse de l'intelligence, de l'esprit et du corps. Ce concept me paraît extrêmement libérateur. J'ai cessé de prendre les choses trop au sérieux. J'ai appris à lâcher prise concernant beaucoup de points qui me paraissaient très importants. Et je me suis mise à vivre de plus en plus dans le PRÉSENT.

La peur nous dépouille de notre existence. L'antidote à la peur consiste simplement à dire :

« *Parfait, Univers. À toi de prendre le relais. Conduis-moi là où tu veux. Je profiterai du voyage.* »

Ce faisant, on élit domicile dans la contrée du moi supérieur, en laissant derrière soi celle du moi inférieur. Ce qui signifie avoir confiance dans le fait que, quels que soient les événements qui se produisent dans notre vie, tout va bien. Joan Borysenko parle d'« optimisme spirituel[1] »[1]. C'est l'attitude qui s'impose dans un monde qui bouge et qui tremble, dans un monde où la vie est ce qui arrive quand on avait prévu autre chose.

En l'absence d'optimisme spirituel, on risque de passer à côté des félicités de l'existence. Ceux qui ont

---

1. Joan Borysenko, *Fire in the Soul: A New Psychology of Spiritual Optimism*, New York, Warner Books, 1993.

peur de l'avion se privent du bonheur de voler au-dessus des nuages. Ceux qui ont peur de se promener dans les rues des grandes villes se privent de l'énergie électrique inhérente qui règne dans les métropoles. Ceux qui ont peur des grands espaces sauvages se privent de l'enchantement de la nature dans toute sa splendeur. Le monde qui nous entoure est si vaste qu'en se cramponnant à ce qui n'est pas permanent, on pratique le déni de soi.

Oui, nous serions plus en sécurité en allant nous coucher dans notre lit et en tirant la couverture sur notre tête (sauf si un intrus entre par la fenêtre pour nous agresser), mais quel gâchis de vie ! Comprenez-moi bien : je ne prêche pas pour une prise de risque excessive. Je ne vous conseille pas d'aller vous promener dans les ruelles mal éclairées d'une grande ville la nuit, ni de vous aventurer dans le désert sans aucun préparatif, ni de rouler à tombeau ouvert en voiture, ni de sauter d'un avion, ni de jouer à la roulette russe. Simplement, je dis qu'il faut accepter les cadeaux quotidiens que la vie nous offre, sans s'inquiéter des éventuelles blessures. Il est possible que celles-ci surviennent, ou qu'elles ne surviennent pas. Mais en attendant, nous aurons vécu une existence extraordinaire. Par conséquent, pendant votre passage sur Terre, suivez le conseil de mon modèle, tante Mame, l'héroïne du film *Ma tante*, qui disait :

VIS TA VIE !
VIS TA VIE !
VIS TA VIE !

CHAPITRE 9

Trouvez la beauté
au pays des larmes

« La vie est belle. J'ai tout ce dont on peut rêver. Or même au soleil, il arrive qu'on ait envie de pleurer. » (Susan Jeffers[1])

J'aimerais terminer la deuxième partie de cet ouvrage en vous initiant à un endroit secret, inexploré, qui se cache au fin fond de votre être. Pour guérir nos blessures profondes, nous devons y pénétrer. Et lorsque nous émergeons de cet endroit qui existe en tout être humain, nous constatons avec surprise que nous sommes infiniment plus libres d'embrasser toutes les beautés de ce monde.

J'ai découvert cet endroit secret par hasard, voici de nombreuses années, alors que j'étais dans un bus à New York, sur Central Park West. Il y avait beaucoup de circulation, et le bus n'avançait quasiment pas. En regardant par la fenêtre, j'ai remarqué un groupe d'écoliers, en rang par deux, qui se dirigeaient vers Central Park. C'était une belle journée ensoleillée du mois de mai, et

---

1. Susan Jeffers, *The Journey from Lost to Found*, Ballantine Books, 1994, p. 152

les rires et les bavardages des enfants m'ont fait sourire. Chaque enfant portait un sac de pique-nique rempli de petites merveilles, qu'une personne chère avait préparé pour lui le matin. Mon esprit s'est mis à vagabonder, en repensant à mon enfance.

Soudain, j'ai été arrachée à mes pensées : le sac d'un petit garçon s'était ouvert et tous ses trésors s'étaient répandus par terre. En voyant le regard angoissé qu'il a jeté sur le contenu perdu de son sac, j'ai dû détourner les yeux. Quelque part, au fond de moi, c'était trop doulou-reux, et les larmes se sont mises à couler sur mes joues. J'ai été surprise par le flot d'émotions qu'a déclenché ce petit incident. Ma réaction était totalement dispropor-tionnée. Que m'arrivait-il ?

J'ai réalisé que ce n'était pas la première fois qu'une scène relativement anodine suscitait des émotions d'une telle profondeur. Ce n'était pas la première fois qu'un événement extérieur avait touché ce lieu que j'ai appelé « le pays des larmes ». Je savais que la profonde tristesse qui me submergeait alors n'avait rien à voir avec les événements de ma vie à ce moment donné. Ma vie était riche, j'avais un travail épanouissant ainsi qu'une famille et des amis qui m'aimaient. Non. Cette tristesse n'avait rien à voir avec mon histoire personnelle, mais avec quelque chose de beaucoup plus vaste, de beaucoup plus important. Ce mystère comportait une autre dimension étonnante : ce n'étaient pas seulement des événements tristes qui touchaient le pays des larmes, mais aussi des événements heureux. Le simple fait de voir une famille réunie, dans un aéroport, me faisait pleurer. Quelle en était l'explication ?

Après avoir beaucoup réfléchi, j'ai fini par trouver les réponses à mes interrogations. J'ai compris que mes larmes reflétaient une chose que je m'étais efforcée de nier de toutes mes forces – la souffrance universelle de tout être humain. La vie est dure ! Elle est très douloureuse ! Par définition, vivre pleinement implique beaucoup de souffrances.

Qui ne s'est jamais senti rejeté, mal aimé, désemparé, seul, pas à la hauteur ? Qui n'a jamais pleuré sur l'injustice d'événements de la vie ? Qui n'a jamais prié pour que des malheurs comme la mort, le cancer et la guerre nucléaire les épargnent, eux et leurs proches ? Qui n'a jamais été confronté au constat qu'un jour, nous sommes contraints de dire adieu à ceux que nous aimons le plus ? Qui n'a jamais été témoin de la douleur, de la souffrance et de la destruction qui existent en ce monde ? La vie consiste à faire face à tout cela, et à bien d'autres choses encore.

Mais comment expliquer mes larmes face à une immense joie ? En réalité, cela n'était pas si difficile à comprendre, car cela relève de la même logique : il s'agit de la joie d'atteindre l'autre rive de la souffrance. La famille qui se retrouve à l'aéroport est passée par la douleur de la séparation, par des moments de solitude et par la peur de se perdre avant de connaître la joie des retrouvailles. Leurs larmes et leurs embrassades semblaient l'indiquer. La tristesse des adieux et la joie des retrouvailles s'inscrivent dans le même processus : elles relèvent de la condition humaine.

La dernière partie du mystère, qui est aussi la plus importante, était la question suivante : «Pourquoi ai-je dû détourner le regard ?» C'était la partie la plus ardue du problème. J'ai fini par comprendre que je n'arrivais pas à regarder la vie en face. Pendant des années, je me suis efforcée d'éviter le pays des larmes. J'avais besoin de croire que la vie devait toujours être heureuse. Pour perpétuer cette illusion, je suis devenue une adepte de la pseudo-pensée positive, une personne vivant dans le déni permanent de la souffrance de l'existence. J'évitais un élément fondamental de la véritable pensée positive. J'évitais le pays des larmes.

J'étais devenue à tel point adepte de la pseudo-pensée positive que je me suis déconnectée, détachée, de ma propre souffrance mais aussi de celle des autres. En réalité, je considérais leur désespoir comme de la faiblesse, m'efforçant de réprimer ces sentiments à tout prix. Par conséquent, je ne pouvais éprouver ni connexion ni empathie, mais seulement du mépris.

Toutefois, perpétuer le fantasme que nous vivons dans le meilleur des mondes est une tâche ardue, quand tant d'événements démontrent le contraire. Il suffit d'ouvrir le journal pour commencer à douter. Pourtant, je continuais à nier toute cette souffrance en moi et autour de moi. J'avais l'impression de vivre avec un doigt glissé dans le trou d'une digue, pour tenter de contenir le flot de larmes qui bouillonnaient en moi. De temps en temps, la digue se mettait à fuir, comme ce jour où j'ai vu le chagrin sur le visage du petit garçon dont le déjeuner était tombé par terre…

Un jour, la digue a rompu et je n'ai pas pu contenir les larmes. J'ai compris que la famine, les guerres, la cupidité, la maladie, l'injustice, la souffrance et l'horreur du monde étaient des réalités. Ils n'étaient pas le fruit de notre imagination ni le résultat d'une pensée négative. Le désespoir m'a submergée et pénétrée. Quel choc pour quelqu'un qui s'était aussi bien protégé ! Il m'a fallu du temps pour absorber le choc de mon désespoir et pour revoir ma vie afin de la rendre plus authentique et plus affirmée. Cependant, le jeu en valait la chandelle.

Voici des années, le pays des larmes est devenu une partie intégrante de mon existence, avec des bienfaits considérables. Tout d'abord, j'ai rejoint l'espèce humaine. En regardant le combat des autres en face, je peux désormais établir un lien avec mon propre combat et nous ne sommes plus des étrangers. Je n'ai plus besoin de me détourner. Je peux les embrasser, eux et leur douleur, et leur faire savoir qu'ils ne sont pas seuls. Je suis beaucoup plus gentille et plus patiente, ce qui est agréable. J'ai appris à juger les autres moins durement, car je sais qu'au fin fond de leur être, ils portent leur propre pays des larmes, quoi qu'ils paraissent de l'extérieur. Ce qu'ils font et ce qu'ils disent n'est que leur manière de gérer les blessures. En réalité, je me sens plus jeune qu'avant. J'ai beaucoup plus d'énergie. Je me sens plus légère, plus libre, plus capable de me réconcilier avec la vie. Quel soulagement de ne plus avoir à contenir ce flot bouillonnant d'émotions !

Maintenant, lorsqu'un profond sentiment de tristesse me submerge, j'arrive à le garder près de moi, comme une couverture chaude. Je n'ai pas besoin de le repousser. C'est si bon de laisser les larmes couler librement. Lorsque je les laisse couler sur mon visage, je me sens lavée, guérie. Une fois que la rivière de larmes est vidée, je suis plus libre de profiter des merveilles qu'offre le monde, sans cette couche de tristesse qui ternissait ma joie.

Paradoxalement, en laissant pénétrer en moi la douleur inhérente à la condition humaine, j'ai pu embrasser la joie de la condition humaine. Les moments délicieux sont de plus en plus nombreux – ces moments où je déborde d'énergie et de vitalité, ces moments où je me sens reliée aux autres, en tant que membre de la famille humaine, ces moments où je dépose les armes et où je danse avec la vie. Toute la souffrance du monde ne peut nier l'existence de ces moments délicieux.

Parfois, j'oublie le pays des larmes, je vaque à mes occupations et je vis mon existence comme si ces sentiments de tristesse dus à l'état du monde n'existaient pas. Il m'arrive d'éviter de regarder les informations, de voir des films qui se terminent mal, de téléphoner ou de rendre visite à des parents âgés, qui me rappellent les difficultés du vieillissement. Mais il ne me faut pas longtemps pour reconnaître les symptômes de la souffrance réprimée, et je m'autorise alors une bonne crise de larmes. Aussitôt, je me sens libre de faire face aux informations déprimantes, de regarder des films qui se terminent mal, d'apporter de l'amour et de l'attention à des parents âgés, qui sont heureux de ma présence dans leurs vies. Et je remercie le pays des larmes pour cette paix bénie qu'il donne à ma vie.

Un jour, alors que j'expliquais tout cela dans l'un de mes séminaires, une étudiante a soulevé un point important. Elle a dit : «Je suis une grande pleureuse devant l'éternel. Je pleure tout le temps. Et pourtant, toutes ces larmes ne me procurent pas la paix dont vous parlez. En fait, je me sens horriblement mal. Qu'est-ce qui fait la différence ?» J'ai compris alors que j'avais omis un élément important dans mes explications.

Comme je l'ai mentionné brièvement au chapitre 7, nous avons la possibilité de dire OUI ou NON à la souffrance lorsque des événements douloureux surviennent dans nos vies. Les larmes qui jaillissent dans un cas ou dans l'autre sont extrêmement différentes.

Les larmes du OUI viennent de la prise de conscience que la souffrance fait tout simplement partie de la richesse de la vie.

Les larmes du OUI viennent de la conviction que, quelles que soient les difficultés de la vie, vous saurez faire face aux épreuves et en ressortir plus fort, plus sage.

Les larmes du OUI viennent de la prise de conscience de la condition humaine et de l'appartenance de tous les êtres humains à cette condition.

Les larmes du OUI reflètent les choses positives qui se cachent dans beaucoup d'expériences douloureuses.

On le voit : les larmes du OUI émanent du moi supérieur, du meilleur de ce que nous sommes. Purificatrices, elles s'inscrivent dans un processus sain et humain, celui du lâcher prise de la douleur. Les larmes du OUI permettent à l'individu d'être l'artisan de son existence, et non la victime des événements. Les larmes du OUI nous permettent de nous sentir connectés et d'aller de l'avant, en pansant les plaies de notre vie et du monde qui nous entoure.

À l'opposé…

Les larmes du NON viennent d'une mentalité de victime. Elles sont versées par ceux qui pensent qu'ils ne se remettront jamais des épreuves de la vie. Les yeux rivés sur l'obscurité, ils n'y arriveront jamais, c'est sûr.

Les larmes du NON découlent de l'interrogation suivante : « Comment une chose pareille a-t-elle pu m'arriver ? » et des sentiments de désespoir, d'impuissance et d'apathie qui l'accompagnent.

Les larmes du NON viennent de notre aveuglement aux dons que peut receler toute expérience douloureuse. Les larmes du NON viennent de notre incapacité à comprendre le flux et le reflux de la vie. Loin de les comprendre, nous réagissons avec peur et colère.

Les larmes du NON viennent du moi inférieur et elles ne servent qu'à nous abattre. Elles n'atténuent ni la peur ni la souffrance. Les larmes du moi inférieur sont démoralisantes, non seulement pour l'individu, mais aussi pour la société. Elles créent une culture de victimes autoproclamées, et non une culture de gagnants qui ressortent triomphants de leurs revers personnels. Je suis certaine que vous connaissez beaucoup de personnes qui versent régulièrement des larmes du NON, sans que rien ne change dans leurs vies. Le drame se poursuit.

Par conséquent, si vous pleurez beaucoup mais que toutes les larmes du monde ne vous aident pas à vous sentir mieux par rapport à une situation donnée, c'est parce que vous pleurez les larmes du NON. D'une certaine manière, vous vous sentez démuni ou victime des événements. Il est temps de découvrir les outils pour vous extraire du radis du moi inférieur et vous élever jusqu'au moi supérieur, où vous aurez une vision plus vaste et où vous vous sentirez puissant, vivant, plein de compassion, aimant, en sécurité et connecté à tous les êtres vivants[1].

Vous ne pleurez jamais ou rarement ? Sachez que les larmes saines – les larmes du OUI – sont importantes pour le bien-être de l'individu. Notre société nous inculque qu'il ne faut pas pleurer, ce qui est une

---

1. Ce livre présente quantité d'outils pour apaiser la souffrance que l'on porte en soi. C'est aussi le cas de mes précédents ouvrages, *Tremblez mais osez!*, *Osez le grand amour* et *Osez briser la glace*.

erreur. Ainsi, on nous a appris que les vrais hommes ne pleurent pas. En fait, les vrais hommes pleurent. Ce sont les faux hommes qui ne pleurent pas. Les vrais hommes sont réels ! Ce ne sont pas des acteurs qui font semblant d'être forts et silencieux, alors que de profonds sentiments de souffrance demandent à s'exprimer.

On nous a appris que les larmes sont synonymes de faiblesse. En fait, nous découvrons qu'il y a de la force dans les larmes saines, chez l'homme comme chez la femme. Il y a aussi de la paix, du flux, de l'énergie, de la compassion et de la beauté.

On nous a appris qu'emprunter le chemin de la spiritualité signifie s'élever au-delà de la souffrance. En fait, la spiritualité permet d'accepter tout ce qui est. Cela signifie embrasser l'obscurité et la lumière. Beaucoup de graines de grandeur ont été semées dans l'obscurité.

On nous a appris que les adeptes de la pensée positive ne souffrent pas. En fait, comme je l'ai expliqué plus haut, il ne s'agit pas, dans ce cas, de pensée positive, mais de pseudo-pensée positive. Tout comme il y a des larmes saines et des larmes malsaines, il y a une pensée positive saine et une pensée positive malsaine. Cette dernière est associée au déni. La pensée positive saine, elle, autorise les larmes, sachant que l'individu atteindra toujours l'autre rive de la souffrance.

On nous a appris que lorsque tout va bien, la souffrance est synonyme d'ingratitude. En réalité, nous sommes des êtres humains dotés de nombreuses facettes, impliqués non seulement dans notre propre vie, mais aussi dans celle de la vaste famille de l'espèce humaine. Souffrir pour le monde est naturel et sain. Comment pourrait-on faire preuve d'humanité avec un cœur de pierre, qui se détourne du chagrin inhérent à la condition humaine ?

On nous a appris que verser des larmes sur la souffrance et la douleur qui nous entourent revient à ne pas faire confiance en Dieu. En fait, c'est à travers la souffrance du OUI que nous devenons des êtres humains aimants, comme Dieu les a voulus, et non ce que George Bernard Shaw appelait des « petites masses fiévreuses et égoïstes de souffrance et de maux se plaignant que le monde ne se démène pas pour les rendre heureux[1]. » Peut-être que Dieu nous implore de ne pas nous détourner de la souffrance qui nous entoure, pour que la planète puisse être guérie.

On nous a appris que, s'il y a de la souffrance, c'est à nous de la réparer. En réalité, nous ne pouvons pas tout réparer. Mais nous pouvons nous dresser, là où nous sommes, former un cercle, voir ce qui doit être fait et agir – et soyez assuré qu'il y aura d'autres personnes qui feront de même, dans leurs parties du monde.

On nous a appris que si nous laissons entrer la souffrance, elle nous emprisonnera. En réalité, laisser entrer en nous les larmes saines du moi supérieur nous

1. Adapté d'une citation de George Bernard Shaw dans *Man and Superman*, Penguin Books, 1903, p. 32.

soulage. Ce sont les larmes du moi inférieur qui nous enferment dans l'auto-apitoiement et le désespoir.

On le voit, les enseignements erronés d'une société qui ne comprend pas la différence entre les larmes du OUI et celles du NON sont nombreux. Remettons en question notre éducation, à tous les niveaux, avec la question suivante : « Est-ce que cet enseignement m'aide à être plus aimant avec moi-même et avec les autres ? » Il est certain que se dissimuler sa douleur n'est pas une manière de s'aimer. Et comme cette attitude n'autorise pas de compassion, elle ne constitue pas non plus une manière d'aimer autrui.

Le besoin de cacher notre douleur nous pousse à ne pas regarder en face la tragédie des autres. C'est le cas, par exemple, lorsque nous n'arrivons pas à téléphoner à nos proches, quand un événement terrible se produit dans leur vie.

Nous nous retranchons derrière l'excuse que nous ne savons que dire, alors qu'un simple : « Je pense à toi » signifierait tant. Maintenant, nous connaissons la vérité : en laissant entrer la souffrance des autres dans notre cœur, nous avons peur de libérer notre propre souffrance. En laissant les larmes du OUI couler librement, nous nous proposons automatiquement pour offrir du réconfort à ceux qui traversent des moments difficiles.

Si les larmes ne viennent pas facilement, cela ne signifie pas qu'elles sont absentes. Simplement, elles sont réprimées, d'une manière ou d'une autre. Soit parce qu'on nous a inculqué qu'il est mal de pleurer, soit parce que nous ne voulons pas affronter la profondeur de notre propre douleur. Voici quelques signes indiquant qu'il y a en vous des larmes qui n'ont pas été versées : colère, dépression, apathie, indifférence, épuisement, ennui, évitement des réalités malheureuses de l'existence, pseudo-pensée positive, culpabilité, honte, besoin excessif d'être occupé, négativité, peur, consommation de substances illicites, tristesse sous-jacente, même quand tout semble aller bien...

Toutes ces manifestations constituent des formes d'« engourdissement psychologique[1] ». Pour comprendre ce qu'est l'engourdissement psychologique, pensez à ce que nous faisons en temps de guerre. Nous créons « l'ennemi ». Il est inconcevable de lâcher des bombes sur des êtres humains. En revanche, on peut lâcher des bombes sur des ennemis. Nous sommes contraints de nous engourdir pour ne pas voir que nous tuons des êtres humains, faits de chair et de sang, qui souffrent et qui ont envie de vivre et d'aimer, exactement comme nous.

L'engourdissement psychologique provoque l'apathie. Ce n'est pas que nous sommes indifférents – c'est que nous ne sommes pas capables d'affronter la souffrance

_____

1. Sam Keen parle de l'engourdissement psychologique dans *The Passionate Life: Stages of Loving*, New York, Harper, 1983.

inhérente au fait de s'occuper d'autrui. Lorsque nous nous détournons des sans domicile fixe, des personnes âgées ou des handicapés, par exemple, nous nous détournons de notre propre souffrance, de nos propres peurs. Nous agissons tous ainsi, d'une certaine manière. Or il y a de la place dans nos vies pour la douleur et pour la joie. En réalité, il ne saurait y avoir de joie sans la reconnaissance de la douleur.

Je suis certaine qu'en passant en revue votre propre vie et celle de vos proches, vous trouverez quantité d'autres échappatoires. Mais paradoxalement, on n'échappe jamais à rien. Les dommages que l'on s'inflige en s'interdisant d'être entier et authentique sont manifestes, où que l'on regarde – nos relations aux autres, notre travail, notre santé. On dirait que plus on cherche à éviter la souffrance, plus on souffre. En pénétrant dans le pays des larmes et en libérant la rivière d'émotions qui s'y cache, on connaît une catharsis – une purification et une libération. On comprend aisément pourquoi on déborde d'énergie après une bonne crise de larmes.

Chungliang Al Huang décrit un rituel chinois extraordinaire pratiqué lors des enterrements[1]. Des « pleureurs » professionnels sont recrutés pour aider les proches à exprimer pleinement leur douleur. Ils pleurent, ils crient des regrets et d'autres émotions associées au défunt, encourageant tout le monde à participer. Une

---

1. Chungliang Al Huang, *op. cit.*, p. 14.

fois la cérémonie terminée, le puits de larmes est tari, et tout le monde se sent plus libre, plus en paix.

Plus haut, j'ai parlé du besoin de simplifier son existence et de se délester de l'excédent de bagages. Le chagrin non résolu est l'un des fardeaux les plus lourds à porter au quotidien. De toute évidence, porter en soi cette gigantesque rivière de larmes, sans la laisser sortir, empêche d'aller de l'avant et d'être le meilleur être humain possible. Cela nous épuise et nous déconnecte de ce qui est réellement important dans la vie.

Il faut comprendre que la vie est la coexistence de tous les contraires, y compris la joie et la peine. Ces contraires sont faits pour se mêler les uns aux autres. Tout comme il y a une part de masculin et de féminin en chaque être humain, il y a aussi de la lumière et de l'obscurité, de la force et de la faiblesse, du bonheur et du malheur. Il ne faut pas résister à ces contraires. Tout comme on peut flotter dans la paix des expériences heureuses, on peut flotter dans la souffrance des expériences malheureuses. C'est la résistance qui rend la vie insupportable. Si on s'autorise à ressentir les sentiments que le corps, le cerveau et l'âme brûlent d'éprouver, alors on est à nouveau en harmonie pour danser avec la vie.

Maintenant que vous comprenez combien il est important d'entrer au pays des larmes, permettez-moi de vous présenter quelques exercices qui permettront à des larmes saines de couler, lorsqu'elles ont du mal à jaillir.

1. Souvent, lorsqu'on lit un roman ou un article de journal, ou lorsque l'on découvre une histoire à la télévision, on est ému jusqu'aux larmes, qu'il s'agisse de larmes de tristesse ou de joie. Puis on essuie vite ces larmes et on vaque à ses occupations. La prochaine fois que cela se produira, laissez couler ces larmes de joie ou de tristesse, et demandez-vous ce qui a été touché à l'intérieur de vous, pour créer ce puissant flot d'émotions.

Faites de même lorsque vous verrez un film qui ouvre les portes du pays des larmes. En général, on verse quelques larmes à la fin de la projection puis on quitte la salle de cinéma pour retrouver le soleil, en laissant ces sentiments derrière soi. La prochaine fois, emportez vos larmes jusqu'à votre voiture, et autorisez-vous à sangloter, de tout votre saoul. Après avoir vu *La Liste de Schindler*, j'ai pleuré dans ma voiture, pendant au moins une demi-heure avant de démarrer et de rentrer chez moi. Une fois ma crise de larmes terminée, je me suis sentie plus riche, plus éveillée, plus consciente de la manière dont je pouvais me servir des enseignements du film dans ma propre vie. Il va sans dire qu'il est extraordinaire d'explorer ces émotions avec des enfants, souvent émus aux larmes en regardant un film. Même les dessins animés suscitent souvent des sentiments forts, aussi bien chez les enfants que chez les adultes ! Utilisez-les pour trouver le chemin menant à votre pays des larmes.

2. Dans le même esprit, mettez à profit les situations suscitant automatiquement de la tristesse pour pénétrer

au pays des larmes. Lorsque mes beaux-enfants sont partis, cet été, pour retourner à l'université, Mark, mon mari, m'a dit qu'il ne savait que faire des larmes qui étaient là, juste sous la surface. Il a pensé que la meilleure solution était sans doute de s'assommer de travail, pour oublier à quel point ses enfants lui manquaient. Je lui ai suggéré plutôt de se concentrer sur sa tristesse et de laisser ses larmes monter. Je lui ai aussi conseillé d'écrire à chacun d'eux une lettre, pour leur dire son amour profond et pour les remercier de la joie qu'ils apportent à sa vie. Il a suivi mon conseil, et en ressortant de son bureau, il m'a dit qu'il ressentait un profond soulagement et de la légèreté, là où auparavant il n'y avait que de la pesanteur.

3. Quand vous aurez fait plusieurs fois les exercices décrits ci-dessus, vous serez prêt pour cet exercice plus avancé que m'a appris Wayne Muller, thérapeute et auteur de livres, qui est aussi un ami. J'y ai recouru à plusieurs occasions, et j'ai trouvé ses résultats vraiment magiques.

a. Commencez avec un livre réunissant des histoires qui touchent nos cordes sensibles. Sur le conseil de Wayne, je me suis servi de *Meetings at the Edge : Dialogues with the Grieving and the Dying, the Healing and the Healed* de Stephen Levine[1]. Son conseil était excellent,

1. New York, Doubleday, 1984.

car ce livre permet de s'intéresser à la mort, le domaine par excellence que l'on s'efforce généralement d'éviter. Ma réponse à cela, bien sûr, c'est TREMBLEZ MAIS OSEZ LE LIRE !

b. L'étape suivante consiste à trouver un endroit calme, chez vous ou ailleurs, où vous pourrez être seul. Débranchez le téléphone, vous serez encore plus tranquille.

c. Lisez un seul chapitre par exercice. Plongez-vous dans la douleur et dans la beauté des histoires racontées. Ne réprimez pas les larmes qui vous montent aux yeux. Lorsque vous commencerez à pleurer pour la douleur des personnes présentées dans le livre, il se peut que viennent s'y mêler des larmes venant de souffrances de votre vie. Ne les réprimez pas non plus. Il est possible que vous vous mettiez à pleurer des larmes qui n'ont jamais été versées, sur votre famille, vos amis, un divorce ou la mort d'un être cher. Une fois, en faisant cet exercice, j'ai ressenti un intense sentiment de douleur et de culpabilité pour les souffrances que j'ai pu infliger à mes enfants lorsqu'ils étaient petits. Après avoir laissé couler mes larmes, j'ai fermé les yeux, j'ai imaginé mes enfants adultes devant moi, et je leur ai dit combien j'étais désolée pour toute souffrance que j'avais pu causer. Je ne l'ai pas fait pour me flageller. Il s'agissait simplement d'affronter la souffrance provoquée par les erreurs que j'ai pu commettre. J'ai compris que j'avais fait de mon mieux, sachant que j'étais alors une jeune mère – ce qui n'efface en rien la douleur des blessures que j'ai pu provoquer. J'ai pleuré, pleuré, jusqu'à ce qu'il n'y ait plus de larmes en moi. Ensuite, j'ai poussé un soupir de soulagement, de légèreté et de paix. J'ai aussi ressenti davantage d'amour et de tendresse pour mes enfants.

d. Chaque jour, lisez un nouveau chapitre et répétez le processus décrit ci-dessus, jusqu'à ce que vous ayez lu tout le livre. Si vous vivez une expérience comparable à la mienne, vous vous sentirez vraiment beaucoup plus léger, plus gai et plus joyeux. Plus important encore, il vous sera plus facile de regarder la mort en face, sans sourciller ni vous détourner. Je me demande si tant de nos peurs dans la vie ne viennent pas d'une peur d'affronter la mort…

À noter : si vous avez le sentiment de ne pas être assez fort pour faire cet exercice tout de suite, fiez-vous à votre intuition. Attendez d'être prêt. Bien sûr, si vous voyez un psy, demandez-lui si cet exercice lui paraît adapté à votre situation actuelle.

4. L'un des moyens les plus efficaces pour apprendre à entrer au pays des larmes est de devenir membre d'un groupe. Un groupe sain (c'est-à-dire ne laissant pas ses participants se positionner en victimes) permet de comprendre comment on peut utiliser toutes ses expériences pour évoluer. Il nous montre aussi que nous ne sommes pas seuls avec nos peines. Voir d'autres personnes dévoiler leurs souffrances aide à libérer les nôtres plus facilement. Vous avez du mal à vous ouvrir aux autres ? Alors, ces groupes sont un excellent outil pour vous. Vous découvrirez un espace permettant

d'explorer en toute sécurité les hauts et les bas de ce que nous sommes. Alors, TREMBLEZ MAIS OSEZ PARTICIPER À UN GROUPE !

5. Évocatrice de moments de bonheur et de tristesse, la musique constitue elle aussi un outil extraordinaire pour entrer au pays des larmes. Pensez à différents morceaux de musique qui touchent vos cordes sensibles et servez-vous en pour faire monter les larmes. Là encore, demandez-vous ce que vous pleurez et ce que votre réaction à certains morceaux peut vous apprendre sur vous-même. Les uns sont profondément touchés par de la musique classique, d'autres par de la pop, du jazz, des musiques de films ou des comédies musicales. À chaque fois que j'entends la chanson *Somewhere Out There*[1], je suis touchée, au plus profond de moi. Cette chanson me fait penser à la mort de mes parents. Cela fait de nombreuses années qu'ils ne sont plus de ce monde, mais par moments, ils me manquent. Lorsque je laisse couler ces larmes, je ressens la douleur de cette perte tout en me rendant compte de la chance que j'ai eue de les avoir dans ma vie. C'est une bonne illustration de l'association du bonheur qui se mêle à la souffrance. Trouvez une musique qui vous touche profondément et

---

1. *Somewhere Out There* est la bande originale du film *Fievel et le Nouveau Monde*, MCA, interprétée par Linda Ronstadt et James Ingram, 1986.

servez-vous en pour explorer les profondeurs de votre être.

6. Prenez le temps de faire quelques heures de bénévolat chaque semaine dans une maison de retraite, un hôpital ou un centre pour handicapés. Choisissez l'endroit où vous avez le moins envie d'aller : c'est un signe indiquant qu'il y a là quelque chose que vous avez du mal à regarder en face. L'un de mes amis était terrorisé par la perspective de sa propre mort. Pour surmonter cette peur, il s'est mis à travailler avec des gens en fin de vie. Il a découvert qu'ils étaient nombreux à parvenir, à travers le processus de leur fin de vie, à une conclusion, une guérison, une paix et une beauté qu'ils n'avaient jamais atteintes auparavant. Cela a permis à mon ami de ne plus avoir peur de la mort. Par conséquent, allez à la rencontre de la souffrance, sans vous détourner. Souvenez-vous que vous trouverez toujours de la beauté au pays des larmes.

7. Vous vous rendez compte que vous n'arrivez pas à faire jaillir ces sentiments douloureux tout seul, tout en sachant qu'ils brouillent votre expérience du monde ? Allez impérativement voir un psychologue. Choisissez-en un qui vous encouragera à exprimer vos sentiments, même s'ils paraissent totalement irrationnels, et non quelqu'un qui vous expliquera que tout va très bien dans votre vie et que vous n'avez aucune raison d'être triste (cela m'est arrivé une fois…).

Choisissez soigneusement votre psychologue. Certains possèdent une aptitude magique à vous guider vers l'autre rive de la souffrance. Ils savent que la souffrance ne se guérit pas en un clin d'œil, mais qu'elle doit être vécue. Dans l'idéal, le psy sera un compagnon de route compatissant qui saura vous guider dans votre souffrance. Ceux qui cherchent à vous empêcher de la vivre n'arrivent généralement pas à regarder leurs propres souffrances en face. Après tout, les psys sont des êtres humains, eux aussi !

8. Servez-vous des journaux télévisés pour évaluer votre niveau d'engourdissement psychologique. J'entends souvent dire : « Je ne regarde plus les infos, c'est trop déprimant. » Au moins, l'horreur parvient jusqu'à ces gens ! Ce qui est plus dérangeant, ce sont les personnes qui regardent les informations, les yeux vides, alors que des corps ensanglantés et d'autres horreurs défilent sur l'écran. Ces images n'éveillent pas plus d'émotions en eux que les publicités qui les suivent ! C'est le signe qu'il faut ouvrir les yeux et prendre conscience de ce qui se passe dans le monde. Nos larmes nous aident à ouvrir les yeux.

Voilà quelques pistes pour commencer à guérir la souffrance et la tristesse de nos vies.

On m'a souvent posé la question suivante : « Pourquoi y a-t-il autant de souffrance en ce monde ? » Si cette question vous pèse, cessez de vous rendre fou en espérant trouver une réponse que nous, le commun des mortels, ne pouvons fournir. Lorsque ces questions surgiront, dites-vous plutôt ce qui suit, qui atténuera votre contrariété :

« Je ne parviens pas à discerner le Grand Dessein, le plan divin pour l'Univers. Par conséquent, je vais cesser de demander : "Pourquoi ?", mais je vais apprendre à être plus confiant. La vie implique de la souffrance. À moi de trouver un moyen d'éprouver plus de paix et de compassion au cœur de cette souffrance. »

Un moyen de trouver cette paix et cette compassion dans la souffrance consiste à entrer au pays des larmes avec un grand OUI ! dans le cœur, pour y découvrir avec étonnement une malle aux trésors remplie d'autres richesses…

Nous apprenons, nous grandissons, nous ressentons, nous soignons, nous partageons, nous aimons, nous guérissons, nous entendons, nous caressons, nous touchons, nous tendons la main, nous embrassons, nous unissons, nous remercions, nous agissons, nous éprouvons, nous ouvrons nos cœurs, nous nous éclairons, nous comprenons, nous nous engageons, nous élargissons notre angle de vision, nous nous impliquons, nous devenons plus sages, nous devenons plus libres, nous devenons joyeux comme le Bouddha qui sourit.

Qu'il est doux, le pays des larmes…

Réconciliez-vous avec la vie

CHAPITRE 10

Concentrez-vous
sur les richesses

« Dans le monde à venir, chacun de nous devra rendre des comptes pour toutes les bonnes choses que Dieu a mises sur cette Terre et dont nous avons refusé de profiter. » (Le Talmud)

Lorsque j'ai lu cette phase pour la première fois, j'en ai eu le souffle coupé. Dans un premier temps, j'ai eu honte, parce que je savais que dans ma vie, j'avais beaucoup reçu… et que j'avais apprécié si peu. Et puis j'ai été transportée : enfin, on me donnait la « permission » d'en profiter. Mieux qu'une permission, on me disait que si je n'en profitais pas, je devrais en payer les conséquences ! Quel cadeau !

J'ai commencé à regarder consciemment autour de moi, pour remarquer toutes les belles choses que Dieu avait mises sur Terre et dont je refusais de profiter. Choquée, j'ai constaté que je n'y avais jamais prêté attention jusque-là, hormis de manière très superficielle. J'avais seulement entraperçu des choses que j'aurais dû embrasser. Comme la plupart des gens, j'avais une immense capacité à prendre les choses pour acquises. Depuis, j'ai appris que…

Tenir les choses pour acquises est l'une des plus grandes atteintes qui soient à la qualité de nos vies.

L'être humain qui prend les choses pour acquises ne voit pas l'ampleur des cadeaux placés en permanence sous ses yeux. Résultat : il ne ressent que le manque, et non l'abondance. Là, vous vous dites peut-être : « Mais qu'est-ce que vous êtes en train de raconter, Susan Jeffers ? Regardez autour de vous, enfin ! Il se passe des événements horribles dans le monde. » Oui, il se passe des événements horribles dans ce monde. Et il se passe peut-être des événements horribles dans votre vie. Malgré tout, il y a tant de choses pour lesquelles on peut être reconnaissant que cela dépasse l'entendement.

Les richesses du monde nous entourent, mais nous ne les voyons pas.

Et pourquoi ne les voyons-nous pas ? Parce que l'être humain est fait d'habitudes. Et notre société a pour habitude de se concentrer sur ce qui est terrible et d'ignorer ce qui est magnifique. Notre objectif, dès lors, paraît très simple : cessons de nous concentrer sur ce qui est terrible pour commencer à voir ce qui est magnifique dans la vie. En réalité, cette tâche n'est pas si simple. Au contraire, c'est même l'un des plus grands défis qui soient, car les vieilles habitudes sont tenaces. Toutefois, pour nous réconcilier avec la vie, nous devons rompre avec elles !

Chacun des chapitres qui suivent présente des concepts et des outils qui vous aideront à ne plus vous concentrer sur ce qui est terrible pour voir ce qui est magnifique. Les moyens pour cela sont multiples et extraordinaires. En lisant ces pages, souvenez-vous que…

Pour rompre avec une habitude, il faut répéter le comportement par lequel on entend la remplacer !

Sinon, on retombe toujours dans ses anciens travers. La répétition permet, petit à petit, d'éveiller votre conscience au somptueux banquet installé sous vos yeux. Et vous vous demanderez pourquoi vous n'étiez pas en mesure de voir ce qui paraît désormais tellement évident.

Celui qui a dit : « La vie est un banquet, et la plupart des gens meurent de faim ! » était d'une infinie sagesse. En ouvrant les yeux pour VOIR vraiment, vous n'aurez plus faim. Vous découvrirez que…

Votre joie, votre bonheur, votre satisfaction et votre capacité à danser avec la vie dépendent uniquement des choses auxquelles vous prêtez attention.

Fort heureusement, les choses auxquelles vous choisissez de prêter attention dépendent uniquement de vous !

CHAPITRE 11

Regardez
en pleine conscience...
Regardez en profondeur

« Puissance magique, action merveilleuse !
Couper du bois, porter de l'eau. » (Un maître zen chinois)

Le maître zen qui a prononcé ces paroles, voici plus de mille ans, était d'une infinie sagesse. Cependant, Winnie l'ourson, l'un de mes personnages de livres pour enfants préférés, n'a rien à lui envier.

« Quand tu te réveilles le matin, Winnie, demanda Porcinet, quelle est la première question que tu te poses ? »

« Qu'est-ce qu'il va y avoir au petit déjeuner ? répondit Winnie. Et toi, qu'est-ce que tu te dis, Porcinet ? »

« Je me demande ce qui va arriver d'excitant aujourd'hui », répondit Porcinet.

Winnie hocha la tête, songeur. « C'est la même chose », dit-il[1].

---

1. Benjamin Hoff, *Le Tao de Pooh*, Éditions du Rocher, 2001.

Winnie et notre maître zen disent l'un et l'autre que l'on peut embrasser la magie et l'exaltation des événements les plus anodins : couper du bois, porter de l'eau, prendre son petit déjeuner, vérifier son relevé de compte, laver sa voiture, se rendre au travail, s'occuper d'un proche, travailler, se brosser les dents, etc. L'astuce est d'apprendre à vivre l'instant présent en voyant l'aspect merveilleux de toute chose.

Dans les sociétés occidentales, cette idée nous est étrangère. Comme je l'ai indiqué au chapitre 3, nous sommes nombreux à chercher à préparer notre vie, au lieu de la vivre MAINTENANT.

Quand j'irai à l'université... Quand j'aurai terminé mes études... Quand je serai marié... Quand j'aurai des enfants... Quand les enfants voleront de leurs propres ailes... Quand je partirai en vacances... Quand j'aurai un nouveau job... Quand j'aurai divorcé... Quand j'aurai assez d'argent... Quand je prendrai ma retraite...

Nos vies semblent placées sous le signe du «Quand ceci, alors cela». J'ai été touchée par le message adressé par le rabbin Zalman Schachter-Shalomi à un parterre de personnes âgées. Il leur a expliqué que la vieillesse était le temps de la récolte, de la collecte des récompenses. Il a dit : «Nous avons labouré, nous avons semé, mais nous n'avons pas encore récolté[1].»

---

1. *The Spiritual Elder: How to Enjoy the Harvest of a Lifetime*, Boulder, Colorado, Sounds True Recordings.

Je suis d'accord avec lui pour dire que la vieillesse est une période de récolte, et non une période de détérioration, mais je pense aussi que…

Nous n'avons pas besoin d'attendre d'être vieux pour récolter les richesses. Nous pouvons les récolter chaque jour de notre vie.

Si tous les âges se prêtent à la récolte, nous devons nous défaire du conditionnement de la société du «Quand ceci, alors cela», qui nous apprend à labourer, à semer, à attendre et (éventuellement) à récolter, plus tard. Pour y parvenir, il est utile de reconnaître combien ce conditionnement est erroné. N'est-il pas dommage de perdre du temps à attendre ? Ce conditionnement erroné incite à croire que le plaisir ne peut venir qu'une fois que tout le travail est accompli ce qui, semble-t-il, n'arrive jamais ! Ne serait-il pas plus logique de commencer à profiter MAINTENANT, pendant qu'on accomplit le travail ? Ralph Waldo Emerson a dit: «Demain sera comme aujourd'hui. Pendant qu'on se prépare à vivre, la vie passe.»

Comme c'est déprimant! Mettons fin à cette habitude néfaste de nous «préparer» à vivre pour commencer à vivre MAINTENANT!

Savoir récolter est une compétence qui s'acquiert. Ce qui signifie que quiconque n'a pas appris à le faire dans sa jeunesse ne saura pas le faire plus tard. Beaucoup de gens partent en retraite en espérant enfin pouvoir récolter les fruits d'une vie passée à travailler dur. Or, ne sachant absolument pas comment procéder, ils sombrent souvent dans une dépression profonde. Certains meurent peu de temps après, d'autres se suicident. Ils n'ont tout simplement jamais appris à récolter…

Cependant, le constat n'est pas aussi noir pour tout le monde. Il y a ceux qui adorent la retraite et qui profitent authentiquement des richesses de l'âge. En examinant leur passé de plus près, on découvrirait probablement qu'ils profitaient déjà des richesses avant leur départ en retraite. Ils ont appris à récolter avant d'être âgés.

Permettez-moi de vous initier à quelques principes fondamentaux de la récolte, pour adopter l'attitude de Winnie l'ourson et de notre maître zen, qui découvrent la beauté et l'exaltation de l'existence jusque dans les événements quotidiens les plus anodins.

Regardez en pleine conscience

J'ai été initiée à la PLEINE CONSCIENCE voici de nombreuses années au Esalen Institute, où j'ai assisté pendant une semaine à un séminaire consacré aux joies de la vie quotidienne. L'une de nos tâches était de participer à la préparation du dîner pour les cent cinquante personnes présentes au cours de cette semaine. Aussitôt, j'ai pensé : «Je ne suis pas venue ici pour faire à manger pour cent cinquante personnes! Je déteste cuisiner!» Heureusement, j'ai participé au programme et j'ai été initiée au concept de la pleine conscience.

La cuisine était tenue par un homme d'une grande spiritualité, qui abordait cette tâche en accordant une attention extrême au moment présent et au miracle de toute chose. Avant de commencer les préparatifs du repas, il nous a demandé de fermer les yeux et de méditer un instant sur le grand privilège dont nous étions honorés : être en mesure de donner de la nourriture et du bonheur à autrui. Cet exercice a changé le regard que nous portions sur notre «tâche». Ce n'était plus une corvée, mais un honneur !

Ensuite, il nous a demandé de remarquer et d'embrasser tous les bonheurs dont cette cuisine était porteuse, comme le soleil qui entrait par les fenêtres, la belle musique, et les appareils électroménagers qui nous simplifiaient la tâche. Après quelques instants passés à porter réellement attention à ces nombreuses bénédictions, chacun s'est vu confier une tâche spécifique, et il nous a demandé de nous envisager comme un élément essentiel d'un ensemble. Notre travail allait faire une différence pour tous ceux qui nous entouraient et, à terme, pour ceux que nous allions servir.

Il nous a priés de cuisiner en silence et de prêter attention, en coupant le pain, en cuisant le riz à la vapeur, en faisant sauter les légumes ou en mélangeant les ingrédients pour le dessert, à la texture des aliments, aux couleurs, aux parfums – et à la Source de tout. Alors que nous travaillions en silence et à l'unisson, notre formateur nous rappelait régulièrement de nous concentrer sur la beauté du moment.

J'étais sidérée: en concentrant mon attention sur la beauté du MAINTENANT, chaque moment devenait exquis. J'étais remplie d'un sentiment de gratitude. J'étais en mesure de transformer une tâche que je détestais en activité confinant presque au sublime. J'ai découvert qu'en me concentrant sur la beauté du moment, je pouvais récolter TOUT EN «labourant et en semant»! La beauté de la préparation et de la distribution du repas est devenue ma récompense. Je n'avais plus besoin d'attendre un moment ultérieur pour en profiter.

Vingt ans plus tard, la préparation de ce repas très spécial reste très présente dans ma mémoire. Cette expérience a changé mon état d'esprit. J'ai appris qu'en regardant en pleine conscience tout ce que nous faisons, le monde devient étonnamment abondant et les moments d'ennui cèdent aussitôt la place à des moments exquis.

Là, vous vous dites peut-être: «Cuisiner dans un environnement aussi particulier est un événement unique. Mais qu'en est-il de tous ceux qui rentrent du travail au pas de charge, essoufflés, et qui essaient de préparer quelque chose de comestible pour une famille pas vraiment reconnaissante, avec un budget pas vraiment extraordinaire. C'est sûrement très différent.» Mais est-ce réellement le cas?

Le rituel reposant sur la gratitude, la concentration, l'épanouissement et la prise de conscience de l'importance du repas que j'ai découvert à Esalen n'a pas pris plus de temps qu'un repas préparé dans la précipitation, la frustration, la rancœur ou la colère. Les aliments n'ont pas besoin d'être chers. Ils peuvent être simples et sains, comme l'était le repas que nous avons cuisiné ce jour-là pour cent cinquante personnes. Et la préparation du repas apportait tant de plaisir que l'accueil réservé aux plats nous importait peu! Nous savions que nous cuisinions avec amour et avec affection. Et c'est ce sentiment d'affection et d'amour qui apporte la joie. Des destinataires appréciant ce que vous faites ne sont que la cerise sur le gâteau. Ils ne constituent pas l'essence du processus. Je crois aussi qu'avec une énergie aussi positive mise dans la préparation du repas, celui-ci recueille un écho beaucoup plus favorable qu'un repas confectionné dans la précipitation, la frustration, la rancœur ou la colère.

Cette pleine conscience comporte un autre avantage: pendant ce court moment, nous n'étions pas concentrés sur nos problèmes de la journée, nous n'étions pas concentrés sur les peurs du lendemain. Nous étions dans l'instant présent. Et nous vivions dans le MAINTENANT. Vous serez peut-être surpris d'apprendre que...

Le MAINTENANT est le seul temps que nous ayons!

On ne peut mener une existence épanouie qu'en vivant dans l'instant présent. Et c'est ce que cette prise de conscience toute simple permet de faire dans nos vies.

À première vue, il peut paraître ridicule d'accorder sa pleine conscience à une tâche telle que la préparation d'un repas. Cependant, tout est là. Lorsqu'on est pleinement conscient, une activité comme la cuisine (et toutes les tâches de la vie quotidienne) fait partie de la récolte et des merveilles de la vie, et non de l'ennui de la vie. Je ne trouve pas cela ridicule. Au contraire, c'est le summum de la sagesse !

C'est dans une existence fondée sur le « quand ceci, alors cela » que tant de travaux prennent des allures de corvée, en attendant nos cinq semaines de vacances. Quelle perte de vie ! Grâce aux principes de la pleine conscience, ces activités que l'on prenait pour des corvées peuvent devenir des moments de pur délice. Nous n'avons pas besoin d'attendre les vacances pour nous amuser. Nous pouvons nous amuser MAINTENANT !

La prochaine fois que vous préparerez un repas, ferez le ménage, travaillerez, conduirez votre voiture, jardinerez, vous occuperez d'un parent âgé ou ferez tout autre chose, essayez donc de vous concentrer sur la possibilité que ce moment pourrait apporter une joie et une satisfaction intenses. Faites taire la voix intérieure qui vous répète qu'il s'agit d'une obligation ingrate qui vous est imposée avant de pouvoir aller de l'avant dans la vie. C'EST VOTRE VIE !

Envisagez ces tâches comme des corvées, et elles deviendront des corvées. Mais si vous les voyez comme un cadeau de l'Univers et ces tâches donneront naissance à un paradis sur Terre.

Ce mode de pensée exige que l'on sorte de son cadre de référence habituel pour envisager les choses sous un jour nouveau, afin que les actes ordinaires de la vie deviennent extraordinaires. En embrassant les activités ordinaires, nous donnons à nos vies un sens totalement nouveau. De l'extérieur, rien ne change, mais à l'intérieur, une révolution douce se déroule. Petit à petit, le combat cède la place à un sentiment de flux et d'abondance. Et la danse de la vie commence.

En vous efforçant de vivre dans le MAINTENANT, vous verrez que c'est beaucoup plus facile à dire qu'à faire, car les habitudes sont tenaces. Il faut tourner la page, après des années vécues dans le passé ou dans le futur.

Apprendre la pleine conscience est un processus de toute une vie. Alors, ne vous découragez pas si régulièrement, vous retombez dans vos anciens travers. Simplement, trouvez un moyen de vous rappeler de vivre en pleine conscience.

Souvenez-vous que chaque moment vécu dans le MAINTENANT constitue un pas dans la bonne direction. Il fait partie de votre cheminement spirituel. Et à mesure que la joie deviendra plus présente dans votre existence, grâce à votre ancrage dans le présent, vous constaterez qu'il sera de plus en plus facile de voir les bénédictions qui sont là, juste sous vos yeux.

Essayez de vous livrer à une activité pendant quelques instants en pleine conscience, chaque jour. Il peut s'agir d'une promenade, d'une tâche ménagère, d'une discussion avec un ami. L'esprit se met facilement à vagabonder, mais plus vous réussirez à voir réellement les opportunités inhérentes à tout ce qui vous arrive, plus votre vie deviendra exquise.

Je vous ai présenté le concept de la pleine conscience de manière très succincte. Explorez davantage ce cheminement extraordinaire menant à l'épanouissement : il vaut la peine d'être emprunté.

Regardez en profondeur

Regarder en profondeur, c'est aller un pas plus loin que la pleine conscience. En regardant ce que la vie leur offre, la plupart d'entre nous ne voient que la surface des choses. C'est pourquoi nous prenons souvent tout pour acquis, sans percevoir ce que nos existences recèlent de miraculeux. Par exemple, à une époque de ma vie, aller faire les courses au supermarché me paraissait d'un ennui insurmontable. Vous êtes sans doute nombreux à comprendre ce dont je parle ! À mes yeux, les courses étaient une horrible corvée qu'il me fallait accomplir avant de pouvoir passer à autre chose qui me plaisait davantage.

En apprenant à regarder en profondeur, j'ai réussi à transformer ces moments d'ennui au supermarché en autant d'instants exquis. Là, vous vous demandez peut-être : « Comment peut-on vivre des instants exquis dans un supermarché ? » Laissez-moi vous expliquer.

En entrant dans le supermarché, prenez conscience du vaste choix de produits qui s'offre à vous. Croyez-moi : peu de pays au monde connaissent une telle abondance de biens. Ensuite, en remplissant votre panier avec une douzaine d'œufs, une miche de pain, des ingrédients pour vos salades et quantité d'autres produits, regardez plus en profondeur et notez la diversité des choix qui s'offrent à vous : tant de variétés de pain, de légumes, de céréales, de desserts… C'est une grande richesse.

Concentrez-vous sur l'abondance du contenu de votre panier et regardez un peu plus en profondeur. Concentrez-vous sur l'argent dont vous disposez pour payer vos courses. Même si vous ne pouvez pas acheter tout ce que vous aimeriez, vous avez de quoi vous nourrir (compte tenu du nombre de personnes en surpoids dans notre société, la plupart des gens achètent plus que ce dont ils ont besoin pour vivre !).

Ensuite, regardez encore plus en profondeur, et pensez aux agriculteurs qui ont cultivé vos salades, qui ont élevé les poules qui ont pondu les œufs, et qui ont fait pousser les plantes qui ont donné le pain et les céréales. Concentrez-vous sur le boulanger qui a fait le pain. Concentrez-vous sur les chauffeurs des camions, les capitaines des bateaux, et les pilotes des avions qui ont transporté toutes ces richesses jusqu'à votre porte.

Puis regardez encore plus en profondeur, en pensant au personnel qui est là pour vous servir. Ces gens se sont levés au petit matin pour mettre en place les produits, afin que vous trouviez votre bonheur. Concentrez-vous sur les gens qui ont pris des risques et qui ont investi leur argent pour créer un supermarché proposant des marchandises aussi somptueuses. Concentrez-vous sur les gens qui ont construit le bâtiment du supermarché.

Regardez encore plus en profondeur, et pensez à ceux qui ont construit les routes conduisant à cet endroit regorgeant de merveilles, et à ceux qui ont construit la voiture qui vous autorise une telle mobilité.

Enfin, regardez encore plus loin, et pensez à la Source de tout cela – Dieu, la Force, la Lumière universelle, quel que soit le nom que vous donniez au créateur de l'air, du soleil, de l'eau, de la terre qui rend toute croissance possible ; nul ne saurait nier le rythme miraculeux et le flux inhérents à tout cela.

Même en y passant la journée, on ne pourrait regarder suffisamment en profondeur pour englober le miracle de toutes ces choses ! Envisagé sous cet angle, le supermarché nous apparaît comme un cadeau monumental. Vous voyez comment transformer des moments d'ennui en moments exquis, même au supermarché ? Un ami cher m'a donné ce poème d'Emily Dickinson, dans lequel tout est dit :

« *Comme si je demandais une simple aumône*
Et dans ma main tendue,
Un étranger glissait un royaume,
Et je restais, abasourdie. »

Nous sommes allés au supermarché pour acheter une tomate, et en regardant en profondeur, « un inconnu a glissé un royaume » dans notre main.

Commencez à regarder en profondeur toutes vos activités quotidiennes : conduire, travailler, prendre des vacances, lire un livre, regarder la télévision, jardiner, faire le ménage, vous occuper de vos proches. En regardant plus en profondeur, nous découvrons que dans toutes nos activités, un royaume a été glissé dans notre main. Puissions-nous toujours nous en souvenir…

Récemment, j'ai vu un film vietnamien magnifique, *L'Odeur de la papaye verte*. Il décevra sans doute les amateurs de films d'action, mais il enchantera tous ceux qui s'efforcent de vivre en pleine conscience et en profondeur. Le film raconte l'histoire d'une enfant qui arrive dans une maison vietnamienne pour y travailler comme servante. Ce qui, résumé ainsi, peut paraître assez déprimant! Pourtant, il s'agit d'un film magnifique.

On voit la petite héroïne grandir et aborder sa vie avec émerveillement, en regardant la magnificence de son vie quotidien en pleine conscience et avec profondeur. Son émerveillement se peint sur son visage alors qu'elle observe les fourmis s'affairer, les grenouilles sauter çà et là, les fleurs s'épanouir. Nous voyons l'extase sur son visage lorsqu'elle découpe une papaye verte, qu'elle respire son odeur divine et qu'elle sent sa texture. Et le spectateur découvre combien elle a le sentiment d'être privilégiée en pourvoyant aux besoins de ceux qu'elle sert, même lorsque ses efforts ne sont pas appréciés. À mesure que le film progresse, le spectateur ne ressent pas de pitié pour elle, mais il envie le plaisir qu'elle prend à vivre. Si nous pouvions tous faire comme cette petite héroïne vietnamienne et récolter les fruits, même dans un contexte difficile, comme nous serions heureux!

Pour terminer ce chapitre, j'aimerais vous citer le plaidoyer passionné de Chögyam Trungpa : « Regardez. C'est votre monde ! Vous ne pouvez pas détourner le regard. Il n'existe pas d'autre monde. C'est votre monde ; c'est votre festin. Vous en avez hérité ; vous avez hérité de ces yeux ; vous avez hérité de ce monde de couleurs. Regardez la grandeur du tout. Regardez ! N'hésitez pas : regardez ! Ouvrez les yeux, ne clignez pas, et regardez, regardez – regardez plus loin[1]. »

Entendez son plaidoyer. Ne passez plus à côté d'un seul instant de grandeur dans votre existence. Quoi que vous fassiez, votre monde est riche. Récoltez les richesses, MAINTENANT !

---

1. Chogyam Trungpa, *Shambhala : la voie sacrée du guerrier*, Éditions du Seuil, 2004.

CHAPITRE 12

Éveillez-vous à l'abondance

« Dans la vie quotidienne, il faut savoir que ce n'est pas le bonheur qui rend reconnaissant, mais la reconnaissance qui rend heureux. »
(Frère David Steindl-Rast[1])

Dans notre manière de penser, nous abordons tant de choses à l'envers ! Le frère David Steindl-Rast nous rappelle qu'indépendamment de tous les cadeaux que la vie nous offre, nous restons des mendiants du cœur si nous n'éprouvons pas de reconnaissance. En revanche, en ouvrant les yeux sur tous les cadeaux merveilleux qui nous sont offerts, nous nous sentons riches. Même avec une vie difficile et peu d'argent, on peut être heureux, dès lors que l'on maîtrise l'art de la gratitude.

Par le passé, j'ai travaillé avec des personnes défavorisées à New York. La reconnaissance qui habite le cœur de tant de gens aussi démunis sur le plan matériel m'a toujours étonnée. De quoi étaient-ils reconnaissants ? D'être en vie, d'avoir à manger, de profiter du soleil par une belle journée, d'être en bonne santé, d'avoir des amis et une famille et de pouvoir contribuer au fonctionne-

---

1. Frère David Steindl-Rast, *Le Cœur à l'écoute*, Dangles, 1996.

ment de leur communauté. Parallèlement, je fréquentais aussi des gens très fortunés. Et j'ai toujours été frappée par le manque de reconnaissance qui habitait le cœur de nombre d'entre eux. Si vous me demandiez lesquels étaient les plus heureux, je vous répondrais sans hésiter que c'était les pauvres, au cœur rempli de gratitude. C'est la gratitude qui fait le bonheur, et pas l'argent !

Je me souviens que quelques mois avant la mort de ma mère, nous étions toutes les deux dans son salon, par une morne et froide journée d'hiver. Elle était très affaiblie, et ses vieux os la faisaient beaucoup souffrir. À un moment, alors que j'étais accablée de la voir dans cet état, elle m'a regardée et elle m'a dit : « Dehors, il fait froid… je suis bien au chaud, dans ma maison confortable. Ma fille est auprès de moi… Il y a des jours où on a de la chance. » Waow ! Tandis que j'étais focalisée sur sa souffrance, elle voyait ses bonheurs. Merci, maman, pour cette belle leçon. Ce que je cherche à vous démontrer est très simple :

Focalisez-vous sur l'abondance, et votre vie paraîtra abondante. Concentrez-vous sur le manque et votre vie paraîtra vide. Tout dépend de la facette de sa vie qu'on choisit de voir.

Comme je l'ai dit au chapitre 9, nous ne pouvons nier la souffrance qui existe dans nos existences. De la même manière,

Nous ne pouvons nier l'abondance dans nos vies!

Dans nos sociétés, les gens vivent totalement dans le déni concernant l'abondance de leurs existences. Nous sommes devenus un pays de victimes, et une victime peut difficilement être heureuse. Oui, il faut reconnaître ses souffrances et y faire face, mais il faut aussi reconnaître et embrasser ses bénédictions. Quiconque ne reconnaît pas les cadeaux de son existence restera meurtri, en colère et vide, persuadé qu'il compte parmi les malheureux. Comment pourrions-nous recevoir alors que nous ne voyons même pas ce que la vie nous donne?

La notion d'abondance nous échappe totalement, ce qui n'a rien d'étonnant. Nous ne l'apprenons pas au sein de la famille. Nous ne l'apprenons pas à l'école. Tous les jours, les informations nous abreuvent de viols, meurtres, incendies et autres horreurs, qui retiennent l'attention des médias. D'abondance, point de mention!

Il est vrai que la gratitude ne compte pas parmi les enseignements de notre société. Cependant, chacun a la possibilité d'aller à l'encontre de ce qui lui a été inculqué et de découvrir qu'il y a tant de choses en ce monde qui méritent sa reconnaissance, en dépit des événements négatifs (Souvenez-vous: nous ne sommes pas des victimes!). Ce faisant, nous apprenons l'art de récolter les mille et une merveilles qui nous entourent.

En récoltant, l'individu cesse de se focaliser sur quantité de choses – son passé, son avenir, les «il faudrait ceci ou cela », ses attentes, etc. Il peut alors ouvrir grand les bras et lâcher prise, pour déposer les armes et se réconcilier avec la vie. Quiconque ne récolte pas et ne profite pas des bonheurs de l'existence sera toujours en proie à la souffrance et à la peur de passer à côté de sa vie. Souvenez-vous :

Le problème n'est pas que la beauté fait défaut en ce monde. C'est que trop souvent, nous ne la voyons pas !

Au chapitre précédent, j'ai expliqué que l'on pouvait récolter en regardant autour de soi en pleine conscience et en profondeur. J'aimerais maintenant vous présenter une autre manière de récolter : en créant des rituels célébrant la richesse de la vie.

Rob Eichberg[1], un ami cher, m'a initiée à un magnifique rituel. La première fois que je suis allée dîner chez lui, il a déclaré, à ma plus grande surprise : « Avant de commencer ce repas, résonnons ! » Je n'avais pas la moindre idée de ce qu'il entendait par là et mon étonnement a dû se peindre sur mon visage. Voyant mon expression, il m'a expliqué que nous allions fermer les yeux et tout simplement nous donner la main, autour de la table. Décontenancée, j'ai fait ce qu'il demandait, comme tous les invités. J'ai fermé les yeux, j'ai donné la main à mes

---

1. Rob Eichberg est l'auteur de *Coming Out: An Act of Love*, New York, Dutton Books, 1990.

voisins de table et là, j'ai compris: la plupart des gens
réunis autour de la table étaient des inconnus pour moi,
mais au bout d'environ une minute de «résonance», je
me suis sentie proche d'eux, et j'ai ressenti de l'affection
et un sentiment de bénédiction. Avant ce rituel tout
simple, nous n'étions que des proches de Rob, réunis
pour déguster l'un de ces délicieux dîners dont notre
hôte a le secret. Après le rituel, j'étais reconnaissante de
pouvoir passer une soirée avec des gens aussi exception-
nels, d'avoir un ami aussi proche que Rob, de pouvoir
déguster un repas aussi délicieux, d'être en bonne santé.
J'ai compris alors l'immense valeur de ces rituels tout
simples. Ils nous rappellent ce que nous avons tendance
à oublier – à savoir tout ce qui est merveilleux dans nos
existences. Ils nous aident à nous souvenir des cadeaux
qui nous entourent, de notre but et du lien qui nous unit
à toute chose.

De nos jours, nous ne pratiquons plus guère de rituels,
ce qui est dommage. Certaines fêtes, comme Noël, sont
supposées nous rappeler nos bénédictions, mais c'est
rarement le cas. Reléguées au rang de simples fêtes
commerciales, elles sont souvent perçues comme des
contraintes et des sources de contrariété. Elles se sont
donc vidées de leur sens, qui était de nous rappeler ce
que nous sommes réellement, les raisons pour lesquelles
nous sommes sur Terre, et tout ce qui mérite notre
reconnaissance.

Mais même lorsqu'elles prennent tout leur sens, ces
fêtes sont séparées par de trop nombreuses journées

– représentant la majeure partie de notre existence – pendant lesquelles nous oublions nos bénédictions, pour vivre non pas dans la plénitude et la transcendance, mais dans un état de vide et d'insignifiance. Les rituels quotidiens nous servent à embrasser la beauté, mais aussi ce qui est douloureux dans nos existences.

Dans son merveilleux ouvrage *Return of the Rishi*, Deepak Chopra décrit la place prépondérante qu'occupent les rituels dans son pays natal, l'Inde. Il dépeint l'acte de dévotion du *puja*, accompli deux fois par jour par des millions de personnes. Il ne s'agit pas de paroles religieuses, mais de paroles de reconnaissance que les enfants apprennent dès leur plus jeune âge, en entendant leurs parents accomplir ce beau rituel. Les bienfaits du puja sont nombreux : « Le *puja* à Haridwar, au crépuscule, était un rappel à une vie heureuse, mis en chanson. En cet instant, j'ai rejoint le chœur de l'Inde, oubliant ma voix individuelle. Les ombres des temples s'allongeaient à l'horizon, emportant le jour avec eux. La rivière verte gonflée d'eau s'assombrissait dans la nuit, et son cours devenait plus doux, comme si elle acceptait nos remerciements avant d'aller dormir[1]. »

Quelle belle image ! Chopra souligne que ces rituels constituent « une chose durable qui ne sera pas emportée par les flots furieux du changement ». Pour beaucoup

---

1. Deepak Chopra, *Return of the Rishi*, Boston, Houghton Mifflin, 1988, p. 117.

de gens, en Inde, la misère est une réalité. Toutefois, ce rituel de gratitude tout simple place l'abondance à la portée de tous ceux qui le pratiquent.

Ne serait-ce pas merveilleux si chez nous, dans nos sociétés occidentales, toute la population – riches et pauvres, jeunes et vieux, chrétiens, juifs, musulmans, Africains, Maghrébins, etc. confondus, – prenait cinq minutes deux fois par jour, tous les matins à 7 heures et tous les soirs à 19 heures, pour fermer les yeux, s'unir en un seul peuple et rejoindre le chœur de remerciements pour l'abondance qui nous est offerte. Quelle jolie idée ! Je ne crois pas qu'un rituel de ce type puisse voir le jour dans un avenir proche, mais comme le grand poète Rumi l'a dit voici de nombreuses années : « Il y a des centaines de manières de s'agenouiller et d'embrasser le sol. »

Alors, découvrons quelques manières très simples de nous agenouiller et d'embrasser le sol, en geste de reconnaissance pour tout ce qui est merveilleux dans nos existences. Il s'agit de simples suggestions. En les lisant, laissez libre cours à votre imagination et inventez vos propres rituels, qui auront une signification profonde dans votre vie.

REFAITES VIVRE LA TRADITION ANCESTRALE DE RENDRE GRÂCES À L'HEURE DU DÎNER. Le simple fait de dire : « Je suis reconnaissant pour la nourriture que je m'apprête à manger » permet de marquer une petite pause avant d'avaler son repas sans y penser et sans l'apprécier. Ou bien essayez le rituel de «résonance» de Rob avec votre famille ou ceux qui partagent votre table. Donnez-vous la main et laissez les bénédictions entrer en vous. Sentez l'énergie du lien qui relie les Hommes.

Au début, lorsque les rituels ne seront pas encore devenus des habitudes, mettez un signe sur votre table pour vous rappeler de rendre grâces avant chaque repas (on a vite fait d'oublier…). Souvenez-vous que

Il faut apprendre à apprécier. Notre habitude actuelle est de ne pas être appréciatif.

TROUVEZ-VOUS UN «COMPAGNON DE GRATITUDE». Lorsqu'on est happé par la frénésie d'une vie quotidienne bien remplie, il est utile d'avoir un ami qui sert de «rappel à l'ordre». Promettez-vous de vous téléphoner régulièrement, pour parler des bénédictions dans vos vies. Cela vous paraît idiot ou incongru? Pas du tout! Regardez autour de vous, vous verrez combien de gens s'appellent tous les jours pour parler de leurs malheurs! Il suffit de changer de point de vue. Transformons nos «compagnons d'infortune» en «compagnons de gratitude». Et si ce projet ne séduit pas vos compagnons actuels, trouvez-en de nouveaux!

Au début, vous aurez peut-être du mal à parler des aspects positifs de votre existence. Quand on cesse de se plaindre, de longs silences apparaissent parfois dans la conversation. Il n'y a plus rien à dire! Vous remarquerez alors que vous passiez un temps fou à vous plaindre de tout ce qui ne va pas : votre patron, vos enfants, votre conjoint, votre santé, la conjoncture économique, etc. Mais rapidement, cette manie de se plaindre, synonyme de faiblesse, cédera la place à une habitude de gratitude, puissante. Chaque fois que vous raccrocherez le téléphone, vous vous sentirez plein d'énergie et positif. Quelle jolie façon de construire une amitié !

CRÉEZ UN «GROUPE DE GRATITUDE». La plupart des groupes de parole voient le jour pour aider leurs participants à surmonter différents problèmes. Mais que se passerait-il si nous fondions un groupe consacré uniquement à la beauté de notre existence ? Est-ce que nombre de nos problèmes disparaîtraient automatiquement ? C'est bien possible, sachant que la plupart de ces problèmes sont dus à notre mentalité de victime, ou au sentiment que ce que nous obtenons, ce que nous faisons ou ce que nous sommes n'est pas suffisant !

Par définition, le groupe de gratitude permet à ses membres de comprendre qu'ils possèdent la force suffisante pour changer tout ce qui ne marche pas dans leur vie. Aurions-nous besoin de psychologues si nous étions perpétuellement reconnaissants ? Comme le dit David Reynolds : «Je n'ai jamais rencontré de névrosé empli de gratitude[1].»

_____

1. David Reynolds, *A Thousand Waves: A Sensible Life Style for Sensitive People*, New York, William Morrow, 1990, p. 31.

Bien vu! Un groupe de gratitude peut se composer de quelques personnes qui se retrouvent une fois par semaine, pour se faire remarquer mutuellement toutes les choses qu'il y a à célébrer. Ou bien il peut réunir cent cinquante personnes, comme «The Inside Edge», le groupe dont mon mari et moi étions membres à Los Angeles. Une fois par semaine, nous nous retrouvions dans un restaurant de notre quartier, pour le petit-déjeuner, à 6 h 30. Nous étions nombreux à ne pas être reconnaissants de devoir nous lever aussi tôt! Cependant, le jeu en valait la chandelle.

Nous passions quelques heures à nous remercier, à rire, à nous serrer dans les bras et à écouter des histoires racontées par d'autres membres ou par des invités, qui servaient de source d'inspiration. Mon mari disait que sa semaine commençait le mardi matin, avec ces réunions. Les quelques heures passées avec ce groupe de gens qui se concentraient alors sur tous les aspects merveilleux de leurs vies nous préparaient à une belle semaine.

Donnez à votre groupe la forme que vous souhaitez. Il peut s'agir d'un dîner, où chacun apporte quelque chose. L'acte de «rompre le pain» ensemble est un beau rituel. Ou bien retrouvez-vous après le dîner, simplement pour parler de ce qui est beau dans vos vies.

Pour booster encore votre état d'esprit positif, organisez plusieurs fois dans l'année une «fête positive». Là aussi, demandez à chacun de venir avec quelque chose à manger, et aussi avec des récits concernant des événements suscitant de la reconnaissance. Attention: pas

une seule récrimination de la soirée ! Quel changement : la plupart des fêtes auxquelles je suis allée récemment étaient lugubres, avec des invités focalisés sur les
mauvaises nouvelles de la politique, de leurs entreprises,
etc.

Si une personne ressent un besoin irrépressible de se
plaindre, un autre participant peut lui montrer comment
transformer les événements négatifs en événements
positifs. Il le fera, bien entendu, avec bienveillance, sans
le juger ni le condamner. Ainsi, chacun rentrera chez
lui enrichi et optimiste, renforcé dans sa conviction
de mener une existence comportant tant de choses à
célébrer.

PRATIQUEZ LE RÉVEIL-BONHEUR. En vous réveillant le matin, faites taire votre voix intérieure négative
en vous passant une cassette d'autosuggestion qui vous
aidera à vous concentrer sur la partie la plus élevée de
votre être, et non sur la partie la plus basse. Plus tard,
une fois que vous serez familiarisé avec la pensée du
moi supérieur, vous pourrez créer votre propre cassette.
Commencer chaque journée avec des pensées de
puissance et d'amour permet de ne plus se focaliser
sur ce qui fait défaut (émanant du moi inférieur) pour
prendre l'habitude de se concentrer sur la beauté et sur
nos objectifs supérieurs (émanant du moi supérieur).

COLLECTIONNEZ DES CITATIONS QUI CONTRI-
BUENT À VOTRE BIEN-ÊTRE. Souvent, nous entendons

ou nous lisons des idées qui induisent un changement dans notre conscience. Collectionnez-les dans un petit carnet, que vous placerez sur votre bureau ou sur votre table de nuit, pour pouvoir le consulter régulièrement. Une citation porteuse d'inspiration, d'idées profondes ou d'humour apporte beaucoup. Les citations de cet ouvrage sont nombreuses à provenir de ma collection personnelle, constituée au fil des ans. Elles m'aident à transcender les détails insignifiants du quotidien, en me rappelant la grandeur et l'humour de l'existence.

CRÉEZ-VOUS UN LIVRE D'ABONDANCE. C'est un outil merveilleux qui nous rappelle toutes les bénédictions de l'existence. Comme je l'ai expliqué dans Tremblez mais osez!, le livre d'Abondance est un simple carnet qui reste sur votre table de chevet. Tous les soirs, avant d'aller vous coucher, notez-y au moins cinquante choses merveilleuses qui vous sont arrivées dans la journée. «Cinquante choses, Susan Jeffers? Mais j'arrive à peine à en trouver trois!» De toute évidence, vous n'avez pas regardé en pleine conscience et en profondeur les bénédictions de votre vie. Cet exercice est précisément destiné à vous aider dans cette démarche.

Au début, il est possible que cet exercice vous prenne LONGTEMPS, TRÈS LONGTEMPS. Mais très vite, les bénédictions vous viendront à l'esprit et se coucheront sur le papier – tout simplement parce que vous vous surprendrez, pendant la journée, à RECHERCHER les bénédictions de votre vie, pour avoir de nouvelles choses à noter dans votre livre d'Abondance le soir. Et vous en trouverez ! Les bienfaits sont évidents :

Lorsqu'on est à l'affût des choses positives, on ne se focalise plus sur les choses négatives.

Faites-en une habitude, et votre existence s'en trouvera métamorphosée ! Voici quelques suggestions de choses à noter :

Ma voiture a démarré. Je peux marcher. J'ai de quoi manger. On m'a fait un compliment. Mes enfants n'ont pas eu de problèmes aujourd'hui. J'ai senti la chaleur du soleil sur mon visage. J'ai parlé à l'une de mes meilleures amies. Les fleurs commencent à éclore. J'ai de l'eau chaude dans ma douche. Je respire. Le temps a fini par se lever.

Les choses notées dans le livre d'Abondance n'ont pas besoin d'être extraordinaires. Au contraire : il est même préférable qu'elles ne le soient pas. Souvenez-vous qu'en se focalisant sur les événements extraordinaires, on se retrouve avec « une vie d'ennui entrecoupée de quelques moments exquis ». Or l'un de nos objectifs est de rendre chaque moment exquis. Pour cela, il faut discerner les cadeaux cachés dans tous les événements dits « ordinaires ». En les regardant en pleine conscience et avec profondeur, on découvre que ces moments ne sont pas si ordinaires que cela – en fait, ils sont même extraordinaires ! Prenez le fait de respirer, par exemple.

N'est-ce pas un acte incroyablement, totalement extraordinaire ? Saint Augustin nous le rappelle : « Les Hommes voyagent pour s'émerveiller de la hauteur des montagnes, des vagues gigantesques de la mer, du long cours des rivières, de l'immensité des océans, du mouvement circulaire des étoiles… et ils passent les uns devant les autres sans s'émerveiller. »

Incroyable, non ? Nous passons à côté du plus grand des miracles, parce que nous nous focalisons sur les choses grandioses impossibles à rater. Or nos vies seraient tellement plus riches si nous apprenions à nous délecter des cadeaux extraordinaires inhérents aux choses ordinaires. Lorsque vous inscrirez des choses dans votre livre d'Abondance, pensez à regarder chacune d'elles en pleine conscience et avec profondeur. Ne vous contentez pas de les noter. Embrassez-les ! En vous endormant, vous serrerez cette abondance contre votre cœur. D'ailleurs, imaginez un peu l'impact positif qu'aurait cet exercice si vous le faisiez avec vos enfants. Peut-être en tireraient-ils, dès leur plus jeune âge, le bonheur, la richesse et l'abondance qui vous ont fait défaut jusqu'à présent.

CRÉEZ-VOUS UN PENSE-BÊTE À L'HEURE DU COUCHER. Tous les soirs, avant d'aller dormir, pensez à un mot ou deux exprimant votre reconnaissance pour tout ce qui vous a été donné pendant la journée écoulée. Les yeux fermés, répétez-vous le mot ou les mots que vous avez choisis. Souvent, je m'endors en pensant «merci». Ce rituel tout simple m'empêche de ressasser les petits riens contrariants ou ennuyeux qui m'auraient empêché de dormir. En répétant «merci», je ne tarde pas à trouver le sommeil paisiblement. Peut-être l'un des mots suivants vous conviendra-t-il:

Embrasse la vie, respire, aie confiance, ouvre-toi, guéris, détends-toi, profite, réjouis-toi, apprécie, partage, suffisamment, aime, savoure, reçois, lâche prise, touche, flotte.

Vous pouvez aussi choisir des affirmations. Par exemple:

Je suis en paix.
J'ai confiance.
Je suis béni.
Je suis aimé.
J'aime.

Vous trouverez plus vite un sommeil béni avec de telles pensées, apaisantes et aimantes, qui viennent nourrir votre âme.

COMPTEZ TOUTES LES ÉPAULES SUR LESQUELLES VOUS VOUS REPOSEZ. Noah benShea raconte une histoire très éclairante, celle d'un petit garçon qui va voir un défilé avec son père. Pour que l'enfant puisse voir, son père l'installe sur ses épaules. À mesure que le défilé passe, le petit garçon raconte à son père toutes les choses spectaculaires qu'il aperçoit. Malheureusement, il réagit avec arrogance et mépris face à ceux qui voient moins bien que lui: «Si seulement tu pouvais voir ce que je vois...» Ce que le garçon n'a pas compris, c'est POURQUOI il voit aussi bien. BenShea remarque que l'enfant aurait pu être un géant: «Un géant... c'est quelqu'un qui se souvient que nous sommes tous assis sur les épaules de quelqu'un[1].»

Il nous rappelle aussi ce que devient celui qui ne s'en souvient pas – un FARDEAU! En lisant cette anecdote, j'ai eu envie de me cacher sous terre. Combien de fois ai-je oublié les épaules sur lesquelles j'étais assise? Combien de fois ai-je oublié de remercier ceux qui avaient tant contribué à ma vie? Combien de fois ai-je été un fardeau plutôt qu'une géante?

Chacun peut apprendre à devenir un géant plutôt qu'un fardeau à l'aide d'un rituel tout simple, qui consiste à noter chaque jour le nom d'une ou de plusieurs personnes qui le portent sur leurs épaules. Vous ne serez jamais à court de noms: vous pourrez noter celui de proches (parents, enfants, frères et sœurs, conjoint), mais aussi celui des personnes «invisibles», qui travaillent dur pour rendre nos vies meilleures.

Parmi ces êtres invisibles, citons pêle-mêle les éboueurs, conducteurs de bus, agriculteurs, ouvriers,

---

1. Noah benShea, *Jacob's Journey*, New York, Ballantine Books, 1991, p. 47-49.

serveurs, postiers, fonctionnaires et tous ceux qui contribuent à rendre nos vies plus agréables, ce que nous prenons souvent pour un dû. Soyez aussi précis que possible. Par exemple : la serveuse qui m'a servi mon petit-déjeuner, le fermier qui a fait pousser la tomate délicieuse de mon sandwich, mon fils qui m'a envoyé un petit mot de remerciement, etc.

La liste peut aussi comporter des choses inanimées : la voiture qui nous a conduits à bon port, l'eau qui alimente notre vie, les vêtements qui nous tiennent chaud, l'air que nous respirons. Quiconque ne prend jamais rien pour acquis se porte mieux ! En outre, lorsqu'on cesse de prendre les choses pour acquises, on aime et on prend davantage soin de tout ce qui permet la vie sur notre planète.

C'est en prenant conscience de toutes les épaules sur lesquelles on est assis qu'on devient vraiment grand, et aussi plus riche intérieurement. Par ailleurs, on est moins un fardeau et davantage un géant en prenant conscience de la contribution des autres à notre vie.

L'anecdote de Noah benShea donne à réfléchir sur la notion de «self-made man». Vous pensez que vous vous êtes fait tout seul ? Revoyez vos positions. Vos parents vous ont habillé et nourri, ils se sont occupés de vous. Vos professeurs vous ont appris des choses. Votre patron vous a embauché. Vos clients vous ont soutenu. Vos fournisseurs vous ont permis de distribuer votre marchandise. Votre téléphone et votre fax vous ont aidé à mettre en place votre activité. Vos employés ont fait tourner votre entreprise, etc. Voilà quelques-unes des choses les plus évidentes. Et qu'en est-il de l'air que vous respirez, du logement que vous habitez, de la nourriture que vous mangez, etc. Alors, êtes-vous vraiment sûr que vous vous êtes fait tout seul?

La vérité, c'est qu'en regardant derrière nous pour passer en revue toutes nos réalisations, nous découvrons que nous n'avons RIEN fait tout seuls. Quelle leçon d'humilité! En fait, la reconnaissance permet de gagner en humilité, ce qui est une bonne chose. Vivre avec de l'arrogance est difficile, qu'elle se situe en soi ou chez les autres. Par ailleurs, on se sent moins pauvre ou moins victime lorsqu'on a conscience de toutes les bénédictions provenant des autres. Grâce à cette prise de conscience, l'individu a le sentiment d'appartenir à un tout plus vaste, à un réseau de bienveillance, à un maillage d'êtres humains installés les uns sur les épaules des autres. Comme nous sommes bénis…

CULTIVEZ L'HABITUDE DE DIRE «MERCI». Ce rituel découle tout naturellement du précédent: il s'agit de prendre l'habitude d'exprimer sa gratitude. En regardant la beauté dans notre existence en pleine conscience et avec profondeur, et en dressant la liste de toutes les personnes et de toutes ces choses qui nous ont soutenus et qui continuent à le faire, un mot vient directement du cœur jusqu'aux lèvres: MERCI!

L'intégration du mot MERCI à notre vocabulaire amorce une évolution intéressante. À chaque fois qu'on prononce ce mot puissant, on reconnaît qu'un cadeau nous a été offert. Par définition, en disant suffisamment souvent MERCI, on fait disparaître toute trace de conscience de la pauvreté, qui cède la place à un incroyable sentiment d'abondance.

En revanche, dire rarement MERCI signifie qu'on prend les choses pour acquises, et donc qu'on traverse l'existence en somnambule. Dire merci constitue un moyen de se réveiller. Parlant de réveil, le matin est un excellent moment pour commencer à dire merci. À quoi peut-on dire merci, tôt le matin ?

« Merci, mon corps, que je sois vivant. Merci, café, pour ce délicieux réveil. Merci, vitamines et petit déjeuner, de me nourrir. Merci, douche chaude, pour cette exquise sensation de chaleur et de confort sur mon corps. Merci, maison, de me protéger des intempéries. Merci, maquillage et sèche-cheveux, ou peigne et rasoir, de m'aider à me préparer à cette journée. Merci, voiture, de démarrer[1]. Merci, routes, stops, feux tricolores, de me conduire au travail en toute sécurité. Merci, travail, de me fournir de l'argent pour acheter les choses dont j'ai besoin. »

---

1. On ne pense jamais à remercier sa voiture pour les 364 jours de l'année où elle fonctionne. On ne remarque que le jour où elle ne démarre pas. Le même constat s'applique à la plupart des choses de la vie !

Et encore, je suis restée à la surface des choses. Qu'en serait-il si nous regardions en profondeur, comme je l'ai décrit au chapitre précédent, chaque élément de cette énumération? Nous passerions la journée à dire merci! Vous trouvez ridicule d'envisager des choses aussi ordinaires comme des bénédictions? Mais à quoi ressemblerait votre existence en leur absence? Dans son ouvrage poignant sur la vie dans un camp de concentration, Viktor Frankl raconte que ce sont précisément ces choses ordinaires qui lui manquaient, à lui et à ses compagnons: « Dans mon imagination, je prenais le bus, j'ouvrais la porte de mon appartement, je répondais au téléphone, j'allumais la lumière. Nos pensées se concentraient souvent sur ce genre de détails, et ces souvenirs nous émouvaient aux larmes[1]. »

Voilà des êtres humains qui ont été dépossédés de tout et qui étaient entourés d'horreurs inimaginables, et leurs pensées allaient vers toutes ces petites choses que cyniquement, nous prenons pour acquises.

Nous prenons les choses pour acquises, mais nous prenons aussi les gens pour acquis. Or il est d'une importance capitale de les remercier, surtout ceux qui comptent le plus pour nous. S'il est relativement facile (quand on y pense!), de remercier le chauffeur de bus, la serveuse, l'employé du péage, l'éboueur, etc., il est

---

1. Viktor Frankl, *Découvrir un sens à sa vie*, Éditions de l'Homme, 1988.

parfois extrêmement difficile de dire merci à ceux qui comptent : nos parents, notre conjoint, nos enfants, et même notre patron ou nos collègues.

Lorsque j'étais célibataire, j'avais beaucoup de mal à remercier les hommes que je fréquentais. Pour différentes raisons, je ne voulais pas reconnaître les cadeaux qu'ils représentaient dans ma vie. Pour commencer, j'étais en colère. Et les gens en colère ont du mal à dire merci. Plutôt mourir ! Une fois que je me suis débarrassée de ma colère, les mercis ont commencé à jaillir de moi. J'ai même appelé des ex, pour les remercier de tout ce qu'ils m'avaient apporté, chose que je n'avais jamais faite. Certains se sont mis à pleurer. Ils n'avaient pas l'habitude d'être remerciés.

De la même manière, il est difficile de dire merci quand on a peur de dépendre de quelqu'un. Là, je vous dirais : *Tremblez mais osez !* Par ailleurs, nous sommes nombreux à avoir du mal à dire merci, car nous avons le sentiment de donner davantage que nous ne recevons. Dans certains cas, c'est vrai. Mais dans d'autres nous ne remarquons pas tout ce qui nous est donné.

Par exemple, nombre de gens se disent que tout ce qui ne va pas dans leurs vies est de la faute de leurs parents. Alors, à quoi bon remercier ces derniers ? Ils oublient que ce sont leurs parents qui les ont nourris, les ont habillés, ont changé leurs couches, ont payé le médecin et le dentiste – même s'ils n'en avaient pas forcément envie. Quelle que soit la manière dont nos parents ont assumé leur rôle, nous leur devons notre survie.

Par ailleurs, nous avons oublié les soucis que nous, nous leur avons causés : les maladies, les jours où nous sommes rentrés en retard de l'école, les nuits où nous les avons réveillés avec nos pleurs, nos critiques et notre manque de reconnaissance pour tout ce qu'ils nous ont donné. J'adore la plaisanterie des trois vieilles dames qui discutent. La première explique qu'elle a deux enfants. La deuxième dit qu'elle a trois enfants, et la troisième dit qu'elle n'en a pas. « Pas d'enfants ? » dit la première. « Mais alors, comment faites-vous pour avoir des soucis ? » (Les parents comprendront parfaitement ce qu'elle veut dire !) Oui, nous avons causé bien des soucis à ceux qui nous aimaient quand nous étions jeunes. Et l'heure est venue de nous « agenouiller et d'embrasser le sol », pour remercier nos parents.

Je sais que ceux qui ont subi des violences physiques ou psychologiques de la part de leurs parents jugeront cette idée absurde. Les remercier de quoi ? Je vais vous le dire. Comme je l'ai expliqué au chapitre 7, la victimisation est une forme de violence dirigée contre soi, qui dépouille la vie de sa joie. À quoi bon remplacer une forme de violence par une autre ? Les reproches sont une émanation du moi inférieur. Pour réussir à déposer les armes et à se réconcilier avec la vie, il faut se débarrasser du syndrome du reproche.

L'une des manières d'y parvenir est de nous élever au niveau du moi supérieur pour nous concentrer sur les cadeaux que nos parents nous ont offerts – en premier lieu, le cadeau de la vie – et pour exprimer notre grati-

tude. Prenez le temps de réfléchir, en profondeur et en
pleine conscience, à ce qu'implique le statut de parent,
et découvrez les dons, voire les sacrifices, de vos parents,
pour lesquels vous pouvez authentiquement être reconnaissants. Croyez-moi quand je vous dis que VOUS
VOUS LE DEVEZ À VOUS-MÊME ! La gratitude est l'un
des moyens les plus puissants de guérir les nombreuses
blessures réelles qui entravent peut-être votre aptitude à
croquer la vie à pleines dents.

Oui, dire merci est parfois extrêmement difficile.
Dans un monde fait de contrariétés et de combats, il est
plus facile de dire AU SECOURS ! Mais entraînez-vous,
dès aujourd'hui. Dix fois par jour au moins, dites merci
à vos proches. Vous n'imaginez même pas combien ce
petit mot accroîtra votre sentiment de gratitude et de
bien-être – et aussi le bien-être d'autrui.

TROUVEZ DES MOYENS DE RENDRE CE QUI VOUS A
ÉTÉ DONNÉ. Albert Einstein a dit : «Cent fois par jour,
je me rappelle que ma vie intérieure et ma vie extérieure
dépendent du travail d'autres êtres humains, morts ou
vivants, et que je dois faire de mon mieux pour donner
autant que j'ai reçu et que je continue à recevoir.»

Lorsque nos cœurs sont emplis de gratitude, nous
ressentons un profond désir de rendre à l'Univers et
à ceux qui nous entourent ce qu'ils nous ont donné.
Certains éprouveront peut-être de la culpabilité en
prenant conscience de tout ce qu'ils ont reçu sans rien
donner en retour. Pour ma part, je trouve qu'il s'agit

d'une saine culpabilité – si tant est qu'une chose pareille puisse exister ! Lorsque vous commencerez à donner en retour, cette culpabilité disparaîtra, cédant la place à un incroyable sentiment de bien-être. L'être humain qui prend conscience qu'il est un élément significatif du monde qui l'entoure boucle le cycle de la connexion et de l'appartenance. Ce qui est très agréable !

En commençant à rendre ce qu'il a reçu, l'individu calque son comportement sur son attitude. Il s'énerve moins, il se préoccupe davantage de l'état de l'environnement, il gaspille moins, il a moins de besoins, il est plus gentil avec autrui. La gratitude a quantité d'effets secondaires, par ricochet, car elle rend notre monde merveilleux.

Par conséquent, faites-en un rituel : chaque jour, faites quelque chose pour rendre ce qui vous a été donné : ramassez des papiers qui salissent la rue, donnez du temps ou de l'argent à une association qui vous tient à cœur, écrivez une lettre de remerciement, achetez un cadeau, etc. Une fois le processus amorcé, vous vous sentirez de mieux en mieux. Rien ne dope autant notre bien-être que le sentiment d'être réellement un élément significatif de notre famille, de notre quartier, de notre pays et de notre planète.

Vous avez compris l'idée. Je suis sûre que vous trouvez quantité de rituels qui vous permettront de prendre conscience de l'abondance de votre vie et de dire merci. L'objectif est de faire en sorte que la gratitude devienne votre approche naturelle de la vie et, pour cela, il faut beaucoup d'entraînement. Vous aurez peut-être le sentiment de manquer de temps pour vous entraîner. Oui, les retraites, les vacances ou les séminaires ponctuels sont fort utiles pour nous aider à mettre au point des pratiques relevant du moi supérieur. Cependant, le véritable entraînement a lieu dans la vie de tous les jours – lorsqu'on s'occupe des enfants, que l'on va au travail, que l'on roule en voiture dans la campagne et que l'on fait quantité d'autres activités auxquelles on ne prête pas vraiment attention.

Vous pensez ne pas avoir le temps de pratiquer la gratitude parce que vous devez vous occuper de vos enfants ? Au contraire : mettez à profit le temps passé avec eux pour le faire. Vous consacrez beaucoup de temps à votre travail ? Profitez-en pour pratiquer la gratitude. Certes, il est plus facile de prêter attention aux bénédictions de la vie lorsqu'on est installé sur une plage, pendant les vacances, qu'en plein embouteillage ! Toutefois, la pratique de la gratitude est supposée avoir lieu dans la vie de tous les jours, pas dans l'abstrait. Croyez-moi, cet entraînement en vaut la peine. Souvenez-vous que…

À mesure que vous prendrez conscience des nombreuses richesses qui s'offrent à vous dans votre vie quotidienne, vous progresserez sur la voie qui fera de vous un bouddha souriant. La vie est pleine de joie. La vie est légère. La vie est heureuse. Enfin, vous vous éveillez…

CHAPITRE 13

Écoutez le silence

« Écoutez le silence… Il a beaucoup à dire. » (Susan Jeffers)

Il y a des années, j'ai vu une toute petite image encadrée, représentant une magnifique forêt de trembles. Sous la photo, ces mots ont attiré mon attention : « Quand vous découvrez un endroit magique, tendez l'oreille. »

À l'époque, le symbolisme de cette petite phrase pleine de sagesse m'a échappé, même si j'ai perçu qu'il y avait là quelque chose que j'avais besoin d'apprendre.

Tout d'abord, j'ai cru qu'il s'agissait d'une simple incitation à découvrir la nature. Avec le temps, j'ai compris l'essence plus profonde du message : pour pouvoir embrasser pleinement les richesses de notre vie, nous devons plonger profondément au coeur de notre être pour atteindre notre moi supérieur – voire aller encore plus loin – et écouter les messages importants dont nous sommes porteurs. Pour cela, il faut apprendre à embrasser le silence et à faire taire cette voix intérieure qui ne cesse de parler – le bavardage du moi inférieur – pour pouvoir entendre.

Toutefois, réduire cette voix intérieure au silence n'est pas aisé. Bertolt Brecht parlait de « s'allonger dans un pré et laisser vagabonder l'esprit ». Vous souvenez-vous de la dernière fois où vous vous êtes autorisé un tel moment d'émerveillement silencieux? Si vous êtes comme la plupart d'entre nous, la réponse est certainement NON.

Dans notre société, le silence est un tabou absolu. C'est dire si ceux qui ont pu embrasser les richesses d'un esprit qui vagabonde sont rares... L'enfant qui reste allongé sur son lit, sans rien faire, est souvent rappelé à l'ordre par un parent excédé, qui l'enjoint de se lever pour faire quelque chose. Ce que nous ne comprenons pas, c'est qu'en réalité, l'enfant est en train de faire quelque chose, quelque chose d'essentiel – il apprivoise la solitude.

Nous ne rendons pas service à nos enfants – ni à nous-mêmes d'ailleurs – en remplissant chaque moment de la journée avec des activités. Nous avons beaucoup trop subi l'influence de nos ancêtres, pour qui l'oisiveté était la mère de tous les vices. Thomas Jefferson disait: «Décidez de ne jamais rester oisif. Il est extraordinaire combien de choses peuvent être faites lorsqu'on est perpétuellement dans l'action.» Je crois que c'était un homme obsessionnel, toujours dans l'action, qui n'a jamais passé un seul instant à laisser «vagabonder son esprit». Le pauvre! Comme le silence est rare, il nous met souvent mal à l'aise. Aussitôt rentrés à la maison, nous allumons la télévision ou nous décrochons le téléphone – quand ce n'est pas les deux en même temps. À peine installés dans nos voitures, nous allumons la radio ou le lecteur de CD. Le silence est effectivement une perspective effrayante pour beaucoup de gens qui ont en permanence besoin de bruit ou d'activité autour d'eux.

En dépit du malaise que le silence suscite en nous, je crois que nous aspirons tous à atteindre cet endroit paisible qui se cache au fond de notre être. Dans son infinie sagesse, Henry David Thoreau a dit : « Beaucoup d'hommes passent une vie entière à aller pêcher, sans savoir que ce n'est pas du poisson qu'ils recherchent. »

En réalité, ce qu'ils recherchent, c'est le calme, l'appréciation et la paix qui font défaut à leurs existences. Explorons ensemble un moyen extrêmement puissant permettant d'atteindre, et à terme d'embrasser, le silence de votre esprit. Il transformera votre expérience de la vie, chaotique et confuse, en conscience paisible : je veux parler de la MÉDITATION.

Le concept de méditation déplaît à bon nombre de gens, car il évoque des images de gens assis dans un monastère, les jambes croisées, en position du lotus, passant des jours d'affilée plongés dans le silence. Certes, il y a des gens qui méditent ainsi. Mais pour la plupart des Occidentaux que nous sommes, cette pratique n'est ni réaliste ni attrayante. Heureusement, d'autres options s'offrent à nous.

L'une des plus populaires est la MÉDITATION TRANS-CENDANTALE (ou MT), introduite aux États-Unis en 1959 par un moine indien, Maharishi Mahesh Yogi.

La MT n'a rien à voir avec la religion. Ce n'est pas non plus une philosophie ni un mode de vie. La MT est une technique purement mécanique permettant d'atteindre un état profond de conscience paisible[1].

Ne laissez donc pas des considérations religieuses vous empêcher de profiter des bienfaits potentiels de la MT. C'est la forme de méditation qui a fait l'objet du plus grand nombre d'études, et sa valeur pour nos existences, qui a été attestée, est considérable.

Comme la MT peut être pratiquée par tout le monde, elle a été adoptée par de nombreuses personnes comme vous et moi : banquiers, étudiants, sportifs, épiciers, enseignants, etc. La MT est devenue extrêmement populaire, pour quantité de raisons.

La MT est facile à pratiquer. Il suffit de s'installer confortablement dans un fauteuil, de fermer les yeux, et de répéter silencieusement un mot dépourvu de sens (mantra) qui nous a été indiqué par un instructeur. Ce mantra met doucement notre esprit dans un état de vivacité et de conscience paisible. La MT peut être pratiquée n'importe où : dans le bus, au bureau, assis sur votre lit. C'est une pratique « nomade ».

....

1. Pour en savoir davantage sur la méditation transcendantale, lisez *Happiness: The TM Program, Psychiatry and Enlightment*, du Dr. Harold H. Bloomfield et de Robert B. Kory, New York, Simon & Schuster, 1976, et *Transcendental Meditation* de Robert Roth, New York : Donald I. Fine, 1987.

La MT provoque un état de repos plus profond que le sommeil. Intégrer de courts moments de repos profond à une journée stressante améliore considérablement notre qualité de vie[1].

La MT est excellente pour la santé. À en croire beaucoup de professionnels de la santé, la MT est excellente contre à peu près tous les maux – ce qui explique qu'elle soit régulièrement utilisée et prescrite par des médecins aux quatre coins du monde. À une époque où nous nous préoccupons de notre santé, il paraît intéressant d'apprendre la MT et de l'intégrer à nos vies quotidiennes, non seulement pour guérir les maladies, mais aussi pour prévenir leur apparition. Par ailleurs, il a été démontré que la MT contribue à ralentir le processus de vieillissement. Une excellente raison supplémentaire pour s'y mettre !

La MT accroît nos facultés mentales. Le Dr Christopher Hegarty, un consultant en management très connu aux États-Unis, a dit : « À mes yeux, le programme de MT est la technique la plus efficace qui soit pour atteindre un niveau optimal de compétence mentale. » Il explique que la méditation transcendantale nous donne accès à nos ressources personnelles les plus profondes, « où j'ai découvert un gisement illimité d'énergie intérieure

---

1. Denise Denniston et Peter McWilliams, *The TM Book: How to Enjoy the Rest of Your Life*, Allen Park, Michigan, Three Rivers Press, 1975, p. 52.

et d'intelligence créative[1] ». Gertrude Stein avait donc parfaitement raison lorsqu'elle disait: «Être un génie demande beaucoup de temps. Il faut passer un temps fou à ne rien faire, à ne rien faire du tout.»

La MT améliore notre état émotionnel, et donc nos relations avec tous ceux qui nous entourent. La MT nous aide à nous défaire des émotions négatives qui dépouillent notre vie de joie, des émotions telles que la colère, la peur, la dépression, l'anxiété, etc. – ce qui nous rend beaucoup plus calmes et agréables à côtoyer. La MT fait de nous de meilleurs parents, conjoints, collègues, etc. Plus important encore, nous sommes mieux à même de déposer les armes et de nous réconcilier avec la vie.

La MT réduit même la criminalité. Diverses études ont démontré que le simple fait que 1 % de la population pratique la MT suffit à entraîner une baisse significative de la criminalité. Incroyable, non? Je sais que vous êtes nombreux à lire ces lignes avec scepticisme (moi aussi, au début, j'avais du mal à y croire!). Toutefois, les effets positifs de la MT sur la criminalité ont été attestés par des études qui ont démontré que lorsque le nombre de gens pratiquant la méditation augmente, les tendances négatives dans la société diminuent.

1. Robert Roth, *Transcendental Meditation*, New York, Donald I. Fine, 1987.

La MT explique ce phénomène de la manière suivante : à un niveau très profond, nous sommes tous reliés par une seule et même énergie (ce n'est pas la physique quantique qui nous contredira sur ce point). Si cette énergie est négative, la négativité se diffuse dans toute la collectivité. Si elle est positive, elle se propage aussi. Quand on pense à la manière dont la violence se diffuse actuellement dans notre société, de manière incontrôlable, cette explication paraît parfaitement sensée. Il faut un antidote positif. Et la MT paraît parfaitement adaptée à cela.

La liste des bienfaits de la MT est longue. On peut se demander comment elle fonctionne. Pour répondre à cette question, Léon Weiner[1], mon instructeur de MT, utilise l'analogie de l'eau. Quand elle est en pleine activité, l'eau est en ébullition et volatile. Réduisez son activité, et elle s'apaisera. De la même manière, lorsque nous réduisons l'activité de notre cerveau, le calme envahit notre être. La répétition silencieuse et intermittente d'un mantra, choisi pour sa sonorité, est un outil extrêmement efficace permettant de contrer la volatilité de l'esprit. Il fournit également à l'esprit un support auquel s'accrocher, pour le guider doucement vers des espaces plus calmes.

----

1. Léon Weiner enseigne au Santa Fe Transcendental Meditation Center, à Santa Fe, États-Unis.

Là, vous dites peut-être : bon, l'esprit est calme, et alors ? Qu'est-ce que cela a de si important ? Pensez bonheur, paix, énergie, créativité, intelligence, intuition, guidage, santé, ordre, joie et toutes les bonnes choses de la vie. Le sentiment de calme est le chemin qui conduit au moi supérieur, au meilleur de notre être. C'est aussi la voie qui mène à une unité universelle avec tout ce qui existe.

Lorsque nous atteignons régulièrement cet endroit au fond de notre être, nos relations avec tout ce qui existe se mettent à changer, en mieux. Au début, on ne perçoit pas de changements importants, mais au fil du temps, les effets deviennent extraordinaires. Léon m'a expliqué cela de la manière suivante : « Imaginez que nous plongions un morceau de tissu blanc dans une cuve remplie de jus de betterave. Nous le laissons tremper un moment, jusqu'à ce qu'il prenne la couleur du jus. Puis nous le mettons à sécher au soleil. Le tissu finit par se décolorer, pour prendre une couleur rose clair. Puis nous renouvelons l'opération, et nous remarquons que le morceau de tissu se décolore à nouveau, mais moins que la première fois. En répétant l'opération encore et encore, il arrive un moment où le tissu conserve toute l'intensité de la couleur. »

Il en va de même avec la méditation. À chaque fois que nous nous plongeons dans l'abondance de notre être profond, nous émergeons un peu plus riches. Au fil du temps, c'est toute notre qualité de vie qui s'en trouve améliorée, de manière magnifique.

Voilà pour ma brève initiation à la MT. Peut-être aurez-vous envie de découvrir d'autres formes de méditation, comme la méditation bouddhiste ou la méditation en pleine conscience. La MT n'est qu'une possibilité efficace parmi d'autres. Explorez les différentes options qui s'offrent à vous. Votre librairie possède certainement quantité de livres et de cassettes de méditation qui vous aideront à trouver la méthode qui vous convient le mieux.

Une autre possibilité consiste simplement à rester assis en silence, pendant quinze à vingt minutes par jour. La célèbre Louise Hay s'assoit calmement, ferme les yeux, respire profondément et se demande: «Qu'y a-t-il qu'il faut que je sache?» Puis elle écoute[1]. À en juger par les nombreuses contributions qu'elle apporte au monde, elle obtient des réponses magnifiques!

Certaines personnes utilisent le chant pour se mettre dans un état méditatif. D'autres se servent de visualisations (comme celle que je présente au chapitre 6). Personnellement, cela m'a été très utile[2]. Regardez sur les panneaux d'affichage des librairies spécialisées dans la spiritualité, à côté de chez vous: vous y trouverez peut-être des annonces pour des cours qui vous appren-

....

1. Louise Hay, *La force est en vous*, Marabout, 1998.
2. On trouve quantité de supports enregistrés sur le marché, qui proposent des visualisations guidées. Elles sont très utiles pour tous ceux qui ont du mal à apaiser leur esprit.

dront à vous mettre dans un état méditatif. L'objectif est de trouver une méthode qui fonctionne pour vous.

Quelle que soit la méthode choisie, l'objectif est toujours le même : apaiser l'esprit pour s'écarter du chemin habituel et atteindre une unité universelle avec tout ce qui existe.

Au début, rester assis, dans le silence, vous mettra peut-être mal à l'aise. Mais au bout d'un moment, vous attendrez avec impatience ce moment extraordinaire où vous n'avez RIEN d'autre à faire que d'être là. Saurait-on imaginer perspective plus agréable, en ces temps où il faut se battre en permanence et où les responsabilités sont écrasantes ? Au début, il est possible que vous vous endormiez. C'est parfait. Ou bien que vous vous ennuyiez. C'est parfait aussi. N'est-ce pas merveilleux de se livrer à une activité où, quoi que vous fassiez, ce sera parfait ?

En méditant, certaines personnes essaient de vider entièrement leur esprit et de résister aux pensées qui leur viennent. Mon expérience m'incite à dire qu'il y a toujours des pensées qui surgissent quand on médite. C'est ainsi que le cerveau fonctionne. La méditation nous aide à comprendre que les pensées ne sont que des pensées et que nous ne sommes pas obligés de nous attacher au drame dont elles sont porteuses. Lorsqu'on médite, on regarde passer ses pensées, comme les chars d'un défilé de carnaval ou des nuages qui passent dans un ciel bleu. On devient le témoin du drame et non son personnage central. Cette attitude permet de changer entièrement notre relation à ces pensées qui, d'ordinaire, nous rendent fous.

Une fois que vous aurez découvert une technique qui vous convient, il faut trouver le temps de méditer, et c'est peut-être là la partie la plus ardue de l'exercice. Il est difficile de prendre le pli. Je parle d'expérience ! Mais essayez d'en faire une habitude dans votre vie.

Beaucoup de gens aménagent chez eux un espace spécial dédié à la méditation. Ce n'est pas une nécessité, mais cela peut aider à se mettre dans l'ambiance. Un petit rituel peut également permettre de créer une ambiance. J'aime bien allumer une bougie avant de commencer à méditer. Cela me rappelle la lumière qui brille en moi. Et cette bougie dit à ma voix intérieure qui jacasse en permanence : «Maintenant, il est temps de se taire.» Inutile de dire que toute aide permettant de faire taire sa voix intérieure est la bienvenue.

Je sais qu'à bien des égards, il est difficile, si ce n'est impossible, de comprendre véritablement comment fonctionne la méditation. Pour un esprit logique, cela n'a aucun sens. Comme Stuart Wilde nous le rappelle, le cerveau essaiera de vous détourner par la logique. Mais souvenez-vous que : «La logique, c'est la mort de la part en vous qui arrive à faire des miracles[1].»

1. Stuart Wilde, *Miracles*, Ada, 2006.

La méditation est un moyen permettant de plonger véritablement nos racines, en profondeur, aux sources de notre être. S'il est merveilleux d'apprendre par le biais de livres, de cassettes et d'enseignants extérieurs, nous sommes ce que Krishnamurti appelle des «êtres humains de seconde main[1]», s'il s'agit là de notre seule source d'enseignement. Lorsque nous nous rendons à la source qui se cache au plus profond de nous pour nous guider dans notre cheminement dans la vie, nous redevenons des êtres humains de première main.

La règle d'or : si quelque chose vous perturbe profondément, asseyez-vous et consacrez-y du temps. Ne faites rien. Écoutez la sagesse en vous. Vous finirez par obtenir les réponses que vous cherchez. Dans le vide, tout se remet en place. N'est-ce pas là un étrange paradoxe : c'est en vidant son esprit qu'on trouve une exquise plénitude. Ces paroles magnifiques de Franz Kafka, écrites voici bien longtemps, sont une source d'inspiration : «Vous n'avez pas besoin de quitter votre pièce. Restez assis à votre table et écoutez. Vous n'avez même pas besoin d'écouter, contentez-vous d'attendre. Vous n'avez même pas besoin d'attendre, soyez silencieux et solitaire. Le monde s'offrira à vous pour que vous le démasquiez, il se roulera à vos pieds, en extase[2].»

1. Jiddu Krishnamurti, *Se libérer du connu*, Livre de poche, 1995.
2. Franz Kafka, *La Muraille de Chine et autres récits*, Gallimard, 1975.

Lorsque nous coupons le son et que nous nous plongeons dans le silence, nous pouvons commencer à danser avec la vie. Enfin, nous entendons la musique de notre âme, et c'est ce qui nous donne la paix. En écoutant la musique de notre âme, mystérieusement et miraculeusement, nous entendons aussi celle de tous les autres êtres humains… et nous ne faisons qu'un avec le monde.

CHAPITRE 14

Adressez-vous
au patron

« Vous demandez et ne recevez pas parce que vous demandez mal. »
(Épître de saint Jacques)

Qu'est-ce qui peut apporter autant de paix que la médita-tion ? Réponse : LA PRIÈRE. D'ailleurs, la prière est souvent décrite comme une forme de méditation. Elle constitue un moyen extraordinaire de transcender les petits soucis de la vie et d'apporter la paix à un esprit qui lutte.

Peut-être ne croyez-vous pas en Dieu ni en une force supérieure. Je vous recommande de prier malgré tout. Diverses études ont démontré les effets de guérison de la prière, même pour ceux qui ne croient pas en Dieu[1]. Par conséquent, priez, en vous adressant à l'Esprit, à votre moi supérieur ou simplement au Grand Mystère. Mais ne niez pas le pouvoir potentiel de la prière dans votre vie, car elle peut être une force extrêmement puissante.

1. Le Dr Larry Dossey fournit des preuves indéniables du pouvoir de la prière dans *La Prière, un remède pour le corps et l'esprit*, Le Jour, 1999.

Les Hommes prient de quantité de façons. S'il n'existe pas une bonne et une mauvaise manière de prier, je pense néanmoins que certaines prières peuvent engendrer de la confusion et de la défiance, tandis que d'autres font naître un immense sentiment de puissance et d'amour. Inutile de dire qu'il est important d'apprendre la différence entre ces deux catégories !

Quand j'étais petite, je faisais la même prière tous les soirs : « Bon Dieu, faites que ma maman et mon papa vivent pour toujours. »

Eh bien, ma maman et mon papa n'ont pas vécu pour toujours. On pourrait donc en conclure que Dieu m'a laissé tomber. Toutefois, j'ai appris beaucoup de choses depuis, et je sais que Dieu ne m'a pas laissé tomber. C'est moi qui demandais mal. Je ne comprenais pas vraiment comment prier d'une manière qui m'apporterait avec certitude tout ce que je demandais et tout ce dont j'avais besoin. Ma conception erronée de la prière était synonyme de déception et de souffrance.

Ce qui m'amène à la question suivante : « Combien d'entre nous ont dépassé le stade de l'enfant lorsqu'ils prient ? » Je pense qu'ils sont rares. Par exemple, je crois que la prière qui suit ou l'une de ses variantes rappellera quelque chose à beaucoup de femmes célibataires : « Bon Dieu. Je ne suis plus très jeune. Merci de m'envoyer un homme fabuleux à épouser, pour que je puisse fonder une famille dans l'année à venir. »

Je serais également prête à parier que bon nombre de ces femmes ajoutent divers adjectifs à leur prière, comme séduisant, riche et généreux (je suis sûre qu'il y a l'équivalent de cette prière chez beaucoup d'hommes célibataires!). Certains d'entre nous prient pour que leurs proches guérissent lorsqu'ils sont malades, pour qu'ils trouvent un travail lorsqu'ils ont des difficultés financières, pour qu'un projet professionnel aboutisse, pour qu'ils gagnent au loto, etc.

Certains d'entre nous, dans le besoin, supplient Dieu de leur donner ce qu'ils pensent ne pas pouvoir s'offrir eux-mêmes. Leurs prières ressemblent à quelque chose comme: «AU SECOURS! SORTEZ-MOI D'AFFAIRE!» D'autres, plus arrogants, pensent qu'ils savent exactement ce qui est bon pour eux et demandent à Dieu d'être leur «garçon livreur». Leurs prières ressemblent à ceci: «Faites que je décroche ce job. Je sais que c'est exactement ce qu'il me faut.»

Pour noircir encore un peu le tableau, non seulement nous demandons à Dieu de faire des choses pour nous, mais en plus, nous nous inquiétons qu'Il (ou Elle) ne le fasse pas bien! Cela vous paraît étrangement familier? N'oubliez pas que…

Chaque fois que nous demandons à Dieu d'exaucer un souhait, nous nous préparons à une déception!

Les prières qui demandent quelque chose sont des «prières pétitionnaires». Lorsqu'on prie de cette manière, on s'expose à beaucoup de peur, de colère, de déception et à toutes sortes d'émotions négatives. Les prières pétitionnaires – qu'elles reposent sur des sentiments aimants ou égoïstes – n'aident pas l'être humain à déposer les armes pour une raison toute simple : dans certains cas elles sont exaucées, dans d'autres non. Parfois on décroche le job, parfois non. Parfois nos proches guérissent, parfois non. Parfois les affaires sont florissantes, parfois non. Parfois on trouve l'homme ou la femme qu'on va épouser, parfois non. Le résultat est que la paix de l'esprit fait défaut, car nous nous inquiétons, quelquefois même de manière obsessionnelle, de l'issue d'événements importants.

Par définition, les prières pétitionnaires reposent sur des attentes, et j'ai déjà parlé plus haut de la souffrance qui découle des attentes. Même si les prières pétitionnaires portent parfois leurs fruits, elles n'offrent aucune garantie. Lorsque nos prières ne sont pas exaucées, nous ne pouvons nous empêcher d'éprouver de la déception, voire de nous sentir trahis.

Par conséquent, permettez-moi de vous proposer trois types de prières différentes qui apportent systématiquement la paix de l'esprit que nous recherchons. Vous verrez combien elles se distinguent fondamentalement des prières pétitionnaires.

Les prières de confiance

Je consacre une grande partie de mon temps à donner des cours, dans toutes les régions des États-Unis, pour apprendre aux gens à gérer leurs peurs. Vers la fin de chaque cours, je demande aux participants : « Qui d'entre vous croit en Dieu ? » Presque tous lèvent la main. Puis je leur demande : « Alors, pourquoi avez-vous peur ? » Une expression de surprise se dessine alors sur de nombreux visages. Certains hochent la tête et sourient, en prenant conscience de cette contradiction. Je leur fais remarquer que, manifestement, ils portent Dieu dans leurs têtes, mais pas dans leurs cœurs. Ils ne font pas confiance à la capacité de l'énergie divine de les conduire dans la « bonne » direction.

Par définition, les prières pétitionnaires expriment notre manque de confiance dans le Grand Dessein. Nous ne faisons pas confiance à la raison pour laquelle les choses se produisent dans notre vie et dans la vie de nos proches. Nous ne faisons pas confiance à la grande sagesse de l'Univers. Nous demandons que les choses se passent à NOTRE manière, et non à la manière de Dieu.

Nous jouons à Dieu, alors que ce dont nous avons besoin, c'est de faire confiance à Dieu.

Les prières de confiance peuvent nous apprendre à tenir Dieu dans nos cœurs, là où se dissipe la peur et où commence la paix de l'esprit. De toute évidence, la confiance dans une force supérieure (et la confiance en nous) fait défaut dans une société qui est le théâtre de tant de luttes. Dans le chapitre 6, j'ai souligné combien il était important d'apprendre à s'en remettre au moi supérieur lorsqu'on a le sentiment que la vie est un combat. Cela revient à se faire confiance à soi-même. S'en remettre à une force supérieure constitue simplement une extension de cette démarche. Mon expérience m'a montré que le moi supérieur est le vecteur menant à une force supérieure.

Par conséquent, lorsque nous sommes capables de faire confiance et de «sentir» Dieu comme une force dans nos vies, nous sommes indéniablement dans le domaine du moi supérieur. De la même manière, lorsqu'on s'en remet à son moi supérieur, on touche également le domaine d'une force supérieure. Lorsque nos prières ne «marchent pas», c'est le signe que nous prions depuis le moi inférieur, un lieu où règnent la peur et l'insécurité, et d'où émanent généralement les prières pétitionnaires. Depuis cet endroit, on demande mal, indéniablement.

Bien : alors, à quoi ressemble une prière de confiance – une prière qui touche le moi supérieur ? En voici un bon exemple :

«Mon Dieu. Je suis confiant que, quoi qu'il arrive dans ma vie, les choses se passent pour le mieux. Et quoi qu'il arrive dans la vie de ceux que j'aime, les choses se passent pour le mieux. Tout ce qui arrive fera de nous des personnes plus fortes et plus aimantes.»

Comme ces prières sont puissantes ! Elles ne demandent rien. Elles n'ont pas d'arrière-pensées. Elles disent que même si je ne trouve pas de mari, même si je ne décroche pas ce job, même si la personne que j'aime ne guérit pas, j'ai la conviction que tout arrive pour le mieux de toutes les personnes concernées.

Il ne s'agit pas là d'une simple rationalisation destinée à nous permettre de nous sentir mieux. Comme je l'ai expliqué précédemment, les événements « non désirés » de ma vie, comme mon combat contre le cancer et mon divorce, m'ont considérablement enrichie, en définitive. Le résultat, c'est que j'ai appris à avoir davantage confiance dans le Grand Dessein. Cette confiance m'aide à lâcher prise et à cesser de vouloir contrôler tout ce qui se passe dans ma vie. De plus en plus souvent, je me surprends à penser : « Parfait, Dieu, à toi de prendre le relais maintenant. »

Comprenez que s'en remettre à son moi supérieur ou à une force supérieure, au choix, n'est pas une manière d'abdiquer. C'est simplement être confiant qu'une fois que l'on a fait de son mieux, l'avenir se passera au mieux.

Les prières de gratitude

Récemment, j'ai entendu ce petit texte, qui illustre parfaitement le sujet qui nous intéresse : « "Donner encore ? demandais-je avec consternation. Va-t-il falloir que je donne toujours de mon temps et de mon argent ?" "Non, répondit l'Ange. Contentez-vous de donner jusqu'à ce que Dieu cesse de vous donner." »

Si Dieu était humain, Il (ou Elle) aurait un incroyable complexe d'infériorité! Comme je l'ai dit au chapitre 11, il nous est tant donné, et nous apprécions si peu. Insuffler de la gratitude à nos prières est un moyen magnifique de prendre conscience de tous ces dons. L'être humain reconnaissant voit la paix entrer dans son cœur et son dénuement s'estomper. Personnellement, je pense que…

Voir l'abondance qui nous entoure revient à voir Dieu. Quiconque ne voit pas l'abondance dans sa vie, par définition, a perdu Dieu de vue.

À quoi ressemble une prière de gratitude? C'est très simple:

«Je suis reconnaissant pour toute la beauté et pour toutes les opportunités que vous avez données à ma vie. Dans tout ce que je fais, je m'efforcerai d'être un chenal de votre amour.»

Là encore, voyez combien cette prière se différencie d'une prière pétitionnaire, en touchant notre cœur. Elle dit: «J'ai conscience de votre générosité, et je vais la partager avec tous ceux que je rencontre.» La prière de gratitude nous fait porter un regard neuf sur ce qui nous entoure. Lorsqu'on associe une prière de confiance et une prière de gratitude, on obtient quelque chose d'extrêmement puissant:

« *Mon Dieu. Je suis confiant que, quoi qu'il arrive dans ma vie, les choses se passent pour le mieux. Et quoi qu'il arrive dans la vie de ceux que j'aime, les choses se passent pour le mieux. Tout ce qui arrive fera de nous des personnes plus fortes et plus aimantes. Je suis reconnaissant pour toute la beauté et pour toutes les opportunités que vous avez données à ma vie. Dans tout ce que je fais, je m'efforcerai d'être un chenal de votre amour.* »

Intégrez cette prière à votre cœur et voyez comme le combat cesse et comme la paix pénètre votre être.

Les prières de communion

Les prières de communion se passent de mots. Il s'agit simplement d'être en présence de l'esprit radieux d'une puissance supérieure. À cet endroit, le sentiment d'être perdu dans le monde disparaît totalement. On est chez soi et on est en sécurité.

Ma vision personnelle d'une puissance supérieure – et je pense que chaque individu a une vision différente – est celle d'une lumière universelle dans laquelle je peux me placer pour communier avec elle. Je me mets souvent dans cet état de prière silencieuse par le biais de la visualisation suivante :

J'inspire profondément, puis je m'imagine expirer par une grande ouverture au sommet de ma tête, vers un vaste ciel baigné de lumière claire et apaisante. Puis j'imagine que j'inspire une partie ce halo par l'ouverture dans ma tête, jusqu'à ce qu'il emplisse tout mon corps, de la tête aux pieds. Ensuite, j'imagine que j'expire, pour irradier cette lumière universelle vers le monde, par mon souffle et par tous les pores de ma peau, pour tout atteindre, aussi loin que mon esprit peut voir. Enfin, j'inspire dans mon être toute la lumière provenant du monde qui m'entoure.

En répétant régulièrement cette visualisation, je ressens une magnifique connexion cyclique entre la lumière universelle, l'intégralité de mon être et le reste du monde. Elle me procure une incroyable sensation de paix et de splendeur, en très peu de temps. Mes pensées s'apaisent, et j'ai le sentiment d'être quelqu'un de puissant et d'aimant. Je suis touchée par une splendeur divine. J'ai le sentiment rassurant d'appartenir à une entité beaucoup plus grande que mon esprit limité ne peut comprendre. Je suis connectée. J'appartiens au monde qui m'entoure.

Dans cet état d'esprit magnifique, les préoccupations terrestres sont considérablement atténuées. Je suis connectée à une incroyable douceur. Au fil du temps, j'ai appris qu'en dépit des événements qui se produisent dans ma vie, ce havre de puissance lumineuse est toujours là pour moi, comme pour tout le monde. Tout ce que nous avons à faire est de créer nos propres moyens pour nous placer dans cette lumière et pour l'embrasser.

Lorsque nous sommes en communion avec Dieu, nous ne demandons pas que le monde soit différent. Nous permettons à toutes les choses d'être parfaitement bien telles qu'elles sont. Nous lâchons prise et nous laissons Dieu disposer. Dans cet espace, nous savons qu'il n'y a pas d'autre endroit où aller. Par conséquent, il n'y a rien à demander!

L'individu qui prie régulièrement – avec des prières de confiance, de gratitude, de communion ou autre[1] – voit les bienfaits de la prière s'étendre progressivement à tous les domaines de sa vie. Il prend alors conscience que la lumière universelle et l'esprit de Dieu sont avec lui en permanence, quels que soient les événements qui se produisent à un moment donné. Il suffit de se placer dans la lumière de cette présence divine pour découvrir un délicieux coin de «paradis» que nous pouvons inclure dans notre cœur et irradier vers tous ceux dont la vie touche la nôtre. À cet endroit, notre peur disparaît, pour céder la place à un intense sentiment d'amour et d'affection.

Se pourrait-il qu'une chose aussi simple que la prière soit la force qui, à terme, guérira le monde? Pour ma part, cela ne me surprendrait pas!

....

1. Je vous conseille de lire *Un retour à la prière*, de Marianne Williamson, J'ai lu, 2005. C'est un livre magnifique qui nous éclaire sur l'usage de la prière. Il contient quantité d'exemples de prières d'une grande richesse.

CHAPITRE 15

Trouvez votre lieu
de pouvoir

« Au lieu de voir le tapis qu'on retire sous nos pieds, nous pouvons apprendre à danser sur un tapis mouvant. » (Thomas F. Crum[1])

Il y a très longtemps, j'ai fait une sortie en mer sur un voilier, aux Caraïbes. Le bateau appartenait à John et à sa fiancée, un couple dont je venais de faire la connaissance au cours de mes deux semaines de vacances. John, qui voulait absolument me faire vivre un moment exceptionnel (ou bien mettre mon courage à l'épreuve !), a pris la mer à la tombée du jour pour rejoindre une île voisine, où nous devions passer la nuit. Il faisait déjà presque noir et la mer était agitée, mais cela n'avait pas l'air de le déranger – contrairement à moi, qui n'étais guère à l'aise !

Une fois les voiles levées, nous nous sommes retrouvés en pleine mer. Rapidement, le roulis du bateau m'a projetée d'un côté à l'autre. Désespérément, j'ai fait mon possible pour stabiliser la mer et le bateau, mais inutile de dire que ni l'un ni l'autre ne se montraient très

---

1. New York, Simon & Schuster, 1987, p. 15.

coopératifs ! Raide comme un piquet, je suis restée sur le banc qui bordait le côté gauche du bateau, en résistant à chaque mouvement montant et descendant, et en sentant le mal de mer m'envahir. Voyant que cette approche ne portait pas ses fruits, je me suis dit qu'il fallait essayer autre chose.

Quelque chose en moi m'a soufflé l'idée de me lever pour rejoindre tant bien que mal le centre du pont. Puis je me suis tournée vers l'avant du bateau et j'ai fait mon possible pour me stabiliser, en posant les paumes de mes mains sur un coffre de rangement qui m'arrivait à la taille, et qui était fixé au sol. Je me souviens avoir décidé de cesser toute résistance pour m'abandonner au mouvement sous mes pieds, ainsi qu'à tout ce qui pouvait nous arriver au cours du voyage. J'ai pensé : « Prends le relais, Univers ! ».

Très vite, je me suis sentie détendue, libre et étrangement paisible, à mille lieues de l'état de peur, de résistance et de rigidité dans lequel je me trouvais quelques instants plus tôt. Placée dans ce que j'analyse aujourd'hui comme un état relevant du moi supérieur, il ne m'a fallu que quelques instants pour découvrir le secret du pied marin : au lieu de résister aux turbulences, il fallait les suivre, en faisant monter et descendre mes jambes pour compenser le mouvement du bateau. Par conséquent, mon torse (mon centre) restait stable, tandis que mes jambes chevauchaient la mer.

Pour bien comprendre, visualisez la scène suivante : lorsque le côté gauche du bateau montait, je m'appuyais sur ma jambe droite, laissant la jambe gauche monter pour suivre le mouvement du bateau. Et lorsque le côté droit du bateau montait, je plaçais mon poids sur ma jambe gauche, laissant la droite suivre le mouvement du bateau. Le simple fait de transférer le poids de mon corps d'une jambe à l'autre créait une incroyable sensation de flux. La mer, le bateau et moi ne faisions qu'un. Dans un tel état de flux, le mal de mer n'existe plus. Voilà une manière de planer totalement naturelle ! Et voilà des moments magiques !

L'état de calme au cœur d'une tempête est extraordinaire !

Mon état d'esprit étonnamment paisible et plein de joie s'est révélé providentiel. Car le brouillard s'est levé, et John, à sa plus grande gêne, s'est égaré. En cet instant, j'étais plus calme que lui. Finalement, c'est moi qui ai aperçu la lumière du phare qui brillait faiblement au loin et qui nous ai permis de rejoindre le port. Ce qui est remarquable, c'est que

Le simple fait de changer ma relation à ce qui m'entourait m'a permis de transformer le cauchemar en extase – l'enfer en paradis.

Ce qui aurait pu devenir l'une des pires soirées de ma vie s'est révélé être l'une des plus sublimes.

Je me suis demandé comment faire pour acquérir une qualité aussi extraordinaire que le pied marin dans la vie quotidienne, comment transformer notre relation à tout ce qui nous entoure pour créer une sensation de calme dans un environnement chaotique. La réponse à cette question constitue un grand pas en avant pour qui souhaite déposer les armes et se réconcilier avec la vie.

Un élément de réponse réside dans l'art du CENTRAGE. Pour moi, le centrage est un processus qui permet au corps et à l'esprit de s'aligner avec le moi supérieur – ce qui s'est produit sur le bateau de John. Lorsque le corps et l'esprit ne sont pas alignés avec le moi supérieur, on bascule facilement et on perd l'équilibre. Par conséquent, il faut découvrir les outils permettant d'aboutir à cet alignement magique.

La notion de centrage peut paraître difficile à comprendre de prime abord. Tous les outils que je propose dans ce livre et dans mes précédents ouvrages nous aident à atteindre cet état centré, en changeant notre relation à tout ce qui nous entoure. Par exemple, les exercices d'affirmation et de visualisation nous permettent de revenir à notre centre. En priant ou en méditant, nous revenons à notre centre. En disant OUI à notre Univers, nous revenons à notre centre. En nous demandant : « Et si en fait, tout allait parfaitement bien », nous revenons à notre centre. Ainsi de suite. Nous reprenons le pouvoir, nous n'autorisons pas le monde extérieur à affecter notre stabilité ni notre bonheur. Voilà des outils utiles, s'il en est !

Vous remarquerez que tous ces outils aident l'ESPRIT à s'aligner avec le moi supérieur. Utilisés avec rigueur, ils apprennent à mener une réflexion qui centre l'être humain, en améliorant son sentiment de puissance intérieure et de flux, ainsi que ses liens avec le monde qui l'entoure. C'est le contraire d'un mode de pensée qui fragmente l'individu, engendrant un sentiment de désarroi et de peur.

Il existe aussi des outils extraordinaires permettant d'aligner le CORPS et le moi supérieur. Pour revenir à mon expérience sur le voilier, le simple fait de changer la relation de mon corps au bateau et à la mer m'a donné le pied marin et m'a permis d'affronter la tempête. Dans la vie aussi, nous pouvons apprendre à centrer notre corps pour apprendre à marcher, et à nous tenir debout et assis, avec une posture autorisant la puissance, de l'intérieur. Ces outils de centrage physique favorisent l'enracinement, garant de stabilité par gros temps.

Tom Crum, un expert en arts martiaux, a offert à notre groupe une magnifique démonstration de puissance liée au centrage physique. Il a demandé à deux hommes costauds du groupe de venir l'un se placer à sa droite et l'autre à sa gauche. Après avoir plié les bras, il leur a demandé de le tenir par les coudes pour essayer de le soulever. Pour eux, cela a été un jeu d'enfant : ils étaient beaucoup plus grands que Tom et, semble-t-il, beaucoup plus forts.

Puis il a expliqué qu'il allait se « recentrer », un processus invisible à l'œil nu, qui prend à peine une seconde. Il a ensuite demandé aux deux hommes d'essayer de le soulever à nouveau. Quelle n'a pas été notre surprise de les voir s'escrimer et forcer, en vain : ils n'ont pas réussi à le soulever !

De toute évidence, ce n'est pas le poids de Tom qui avait changé. C'était sa relation à la terre, à son corps et à tout ce qui l'entourait. Tom a répété l'opération plusieurs fois, au plus grand étonnement des deux hommes. Plus tard, ils ont décrété que s'ils n'avaient pas participé eux-mêmes à l'expérience, ils n'auraient jamais cru qu'une chose pareille puisse être possible. En quelques secondes, leurs idées sur la force et la puissance avaient totalement été remises en question. Tom Crum est un expert en aïkido. Quantité de techniques qui permettent le centrage physique nous viennent de cet art martial. L'aïkido distingue trois composantes essentielles du centrage : L'ÉNERGIE, LE CENTRE DE GRAVITÉ DU CORPS et LE FLUX. Elles se définissent de la manière suivante :

L'ÉNERGIE. Les arts martiaux nous enseignent qu'il existe en nous et autour de nous une énergie universelle, appelée *ki* au Japon et *chi* en Chine. Nous pouvons nous relier à cette énergie à tout moment. Lorsque Tom s'est transformé en masse immuable pour les deux hommes, il a utilisé son *chi*, associé à la gravité et à sa connexion à la terre pour créer une extrême pesanteur dans son corps. C'est exactement ce que fait instinctivement l'enfant qui n'a pas envie d'être soulevé pour aller au lit. De toute évidence, son poids ne change pas, mais intuitivement, il sait utiliser son *chi* pour imposer sa volonté.

Nous avons tous entendu des histoires de gens soulevant des objets aussi lourds qu'une voiture pour délivrer un être cher emprisonné en dessous. Dans des circonstances normales, ils auraient été incapables de réaliser une telle prouesse. Mais en cas d'urgence, leur *chi* intérieur le leur permet. Chungliang Al Huang, spécialiste en arts martiaux et auteur de livres, explique que : « L'être humain est très petit, mais la puissance du *chi* est très grande[1]. »

Voilà une excellente nouvelle ! Savoir que cette force est à notre portée est extrêmement rassurant. Cela le serait davantage encore si nous savions accéder à cette puissance à la demande.

LE CENTRE DE GRAVITÉ DU CORPS. Dans les arts martiaux, le centre de gravité du corps est appelé *dantien* (ou *tantien*, ou *tai-ten*). Huang explique que, littéralement, *dantien* signifie « le champ (ou réservoir) de l'essence vitale, la force des tripes[2] ». Toute la puissance du *chi* décrite ci-dessus est contenue dans le *dantien*, situé 3 à 8 cm sous le nombril. Lorsqu'on dit « se recentrer », dans les arts martiaux, cela veut dire concentrer son attention sur le *dantien*, et laisser ses gestes

1. Chungliang Al Huang, *Tai Ji : Beginner's Tai Ji Book*, Berkeley, Celestial Arts, 1989, p. 31. *Tai Ji, danse du tao*, Trédaniel Éditeur, 2002.
2. *Ibid.*, p. 24.

dériver de ce point d'équilibre et de puissance, toujours disponible.

Nous portons TOUS en nous ce lieu depuis lequel nous sommes capables d'irradier une puissance immense. Huang appelle cela «l'âtre». Il explique que si vous vous sentez vivant, heureux et en harmonie avec le monde, c'est que votre âtre fonctionne. En revanche, si vous n'éprouvez pas ces sentiments extraordinaires, il est temps de raviver votre feu intérieur !

LE FLUX. L'immense force du flux choquera tous ceux qui croient que la force ultime se trouve dans le poing. Il existe une autre démonstration d'aïkido qui s'appelle «le bras rigide». Imaginons qu'une personne ayant à peu près la même force que vous essaie de faire plier votre bras tendu, en tenant votre biceps d'une main et en poussant votre poignet de l'autre. Vous ferez ce que nous avons tous appris à faire : vous banderez vos muscles pour résister. Cependant, votre adversaire réussira sans doute à vous faire plier le bras.

Voilà une autre solution : imaginez que votre centre (*dantien*) est une source d'eau intarissable, votre bras tendu une lance à incendie et vos doigts le bout de la lance. Puis, dans votre esprit, ouvrez l'eau, en imaginant que toute la puissance du jet part de votre *dantien* pour passer par vos épaules jusqu'à vos doigts tendus. Au lieu de vous contracter et de résister à l'effort pour ne pas plier le bras, détendez vos épaules et bougez vos doigts, pour que l'eau puisse couler librement. Ne bloquez pas votre bras : gardez-le légèrement plié. Imaginez l'eau jaillir aussi loin que porte le regard, et traverser tout sur son passage, jusqu'à l'infini. Une fois que vous serez totalement concentré sur le puissant jet d'eau qui part de votre *dantien* jusqu'à l'infini, personne ne réussira à plier votre bras. Oui, le flot d'une énergie illimitée est beaucoup plus puissant que les muscles.

Cet exercice montre que l'on ne peut être centré avec un corps tendu (ni avec un corps tout mou), mais seulement avec un corps qui permet à l'énergie puissante du *dantien* de couler en lui, pour rejoindre le monde extérieur. Désormais, vous comprenez ce que Tom Crum a fait pour se rendre « impossible à soulever » : il a imaginé que l'énergie de son centre, ou *dantien*, coulait dans ses jambes pour le relier fermement à la terre, créant une sensation d'enracinement et de pesanteur. Ce qui est tout simplement incroyable !

Il est déconseillé de tenter ces expériences sans encadrement. Si vous souhaitez vous initier à ces exercices physiques d'aïkido, faites-le avec l'aide d'un initié. Ou bien profitez-en pour vous inscrire à un cours d'art martial[1].

---

1. Si vous décidez de faire de l'aïkido ou un autre art martial, sachez que certains instructeurs mettent en avant uniquement la facette agressive des arts martiaux. D'autres estiment que l'objectif profond des arts martiaux est d'apporter de la vivacité spirituelle, de la sérénité, de la confiance en soi et du centrage.

Un esprit centré associé à un corps centré obtient des résultats extraordinaires. Dans le chapitre qui suit, je vous présenterai un exercice à pratiquer quotidiennement, qui est dérivé des arts martiaux. Intégrant tous les principes du centrage, et bien d'autres choses encore, il est à la portée de tous, jeunes et vieux, forts et faibles confondus. Son effet est extraordinaire.

Pour vous inciter à vous intéresser davantage encore au centrage, permettez-moi de vous présenter quelques avantages que procure cet alignement dynamique du corps, de l'esprit et du moi supérieur dans la vie quotidienne.

Le centrage nous offre davantage de sécurité. Comme l'illustre mon expérience sur le voilier, le centrage permet de se percevoir comme une entité intégrée – le corps, l'esprit et le moi supérieur – mais aussi de ressentir une intense connexion avec le monde qui nous entoure.

Lorsque je travaillais avec des personnes défavorisées à New York, j'ai souvent fréquenté des rues considérées comme dangereuses.

Pourtant, je ne me suis jamais sentie en danger. Rétrospectivement, je me rends compte qu'intuitivement, je me centrais, de différentes manières. J'éprouvais beaucoup d'affection pour les gens du quartier, que je ne percevais pas comme des ennemis, mais comme des

---

De toute évidence, pour déposer les armes et se réconcilier avec la vie, mieux vaut préférer les seconds…

amis. Par conséquent, je projetais une énergie d'amour. Je me sentais forte, détendue, aimante et pleine de confiance ! Je marchais droite, reliée à la terre. Les gens qui ont peur contractent leur énergie. Mon énergie à moi était étendue. Je pense que c'est cet état de centrage qui m'a valu de ne jamais avoir de problème. En fait, l'idée qu'il puisse m'arriver quelque chose ne m'avait jamais effleuré l'esprit à l'époque !

Même si les rues étaient alors beaucoup moins dangereuses qu'elles ne le sont aujourd'hui, je crois aussi que les gens centrés sont plus en sécurité. Les individus qui ont l'intention de commettre une agression s'en prendront de préférence à quelqu'un qui n'est pas centré – quelqu'un de faible et de dispersé. Si votre énergie annonce que vous êtes FORT, on vous laissera tranquille. Si votre énergie annonce que vous êtes FAIBLE, vous devenez une cible pour les agresseurs. Je suis certaine que la plupart des policiers seront d'accord avec moi.

Le centrage rend l'individu plus intuitif. Il ne s'agit pas d'un état de flaccidité, mais d'une d'immense clarté et de concentration. Votre conscience est renforcée, et votre intuition aussi. Vous apprenez authentiquement à «écouter» et à «sentir» ce qui vous entoure. Ce qui explique peut-être que, sur le voilier, j'ai réussi à voir le phare, alors que John était complètement perdu. Dans cet état de conscience accru, on «sait» où aller, que faire, que dire et à qui s'adresser. On sent également où ne pas aller en cas de danger. Le résultat est qu'on apprend à se fier à son intuition, pour connaître la voie à suivre.

Le centrage nous aide à nous sentir épanouis. Quiconque se focalise en permanence sur ce qui se passe autour de lui n'est pas centré. Au contraire : il est extrait de son centre. Il ne se concentre pas sur ses véritables points de force et d'amour. Il n'est pas aligné – le corps, l'esprit et le moi supérieur. Or, sans cet alignement, l'être humain se sent vide et perdu, mal à l'aise dans son être, il cherche perpétuellement à trouver le chemin qui le conduira là où il sera chez lui. J'ai évoqué ce point dans mes précédents ouvrages, en parlant de «mal du pays divin[1]». Nous ne nous sentons jamais épanouis. Nous sommes perpétuellement en quête de quelque chose, qui permettra cet épanouissement. Or rien, à l'extérieur, n'en a la capacité.

L'être humain centré, et donc épanoui, se dit que la table qu'il a obtenue au restaurant, l'état de la circulation, la santé de la Bourse, etc. importent peu. La raison pour laquelle toutes ces situations nous contrarient, c'est que des événements extérieurs nous font perdre l'équilibre. «Si j'avais la bonne table, alors je serais content.» «Si je gagnais de l'argent en Bourse, alors je serais satisfait.» Et si vous étiez déjà heureux? Dans ce cas, tout irait pour le mieux! Il n'y aurait plus rien à obtenir, plus rien à changer. L'une des solutions permettant de faire

---

1. Le concept du «mal du pays divin» est issu des travaux de Roberto Assagioli, fondateur de l'école psychologique de la psychosynthèse.

en sorte que «tout va pour le mieux», comme j'en ai parlé au chapitre 7, est d'apprendre l'art du centrage.

Le centrage confère un sentiment de stabilité. L'individu qui quitte son centre et se penche perpétuellement vers les autres pour satisfaire un manque bascule vers l'avant. S'il se retire, mu par la peur, il bascule vers l'arrière, dans un état de rigidité. Quiconque n'est pas connecté à l'énergie universelle dont il est porteur finit par être ballotté et par trébucher, dépourvu de toute conviction, en s'accrochant à tout ce qui offre une apparence de stabilité. L'être humain qui a appris à se centrer n'est plus autant affecté par le flux et le reflux de la vie. Sa peur s'estompe considérablement. Si les événements extérieurs ne se déroulent pas conformément à ce qu'il avait prévu, il est bien armé pour affronter la tempête.

Le centrage aide aussi à résoudre les conflits, dont chaque journée apporte son lot : conflits avec nos enfants ou avec notre patron, embouteillages, etc. L'être humain en colère n'est pas centré. L'être humain qui a peur n'est pas centré. En revanche, lorsque les gens se comportent mal avec nous, ce sont eux qui ne sont pas centrés. Être centré permet de gérer les conflits de l'existence.

Il est important de bien comprendre qu'au sens où je l'entends, le centrage n'est pas destiné à aller à l'affrontement, mais à créer un environnement où l'affrontement n'est pas nécessaire. Pour qui souhaite déposer les armes et se réconcilier avec la vie, l'objectif n'est pas de devenir plus fort pour conquérir. Il est de devenir plus fort pour être le meilleur de ce qu'il peut être.

Une fois centré, l'individu entre en contact avec l'immense quantité de force et d'amour qu'il porte en lui. En étendant cette énergie aimante de notre *dantien* à tout objet de conflit, nous créons déjà un environnement apaisé, qui annonce : «Faisons en sorte que cela fonctionne.» Nous mettons au jour la compréhension, l'empathie et la confiance dont nous sommes porteurs. Dans cet état d'esprit de connexion, nous possédons une aptitude magnifique à résoudre les conflits.

Réfléchissez à ce qui se passe au sein du couple. Lorsque notre conjoint s'éloigne de nous, notre première réaction est souvent de nous éloigner nous aussi, afin de nous protéger. Or si cette situation perdure, chacun devient un étranger pour l'autre. En revanche, si on arrive à aller de l'avant, à avancer son *chi* aimant au lieu de le retirer, la relation sera sans doute plus heureuse.

Faites l'exercice suivant : si quelqu'un se montre hostile avec vous, projetez silencieusement les mots «Je t'aime» tout en envoyant une lumière chaude et apaisante depuis votre *dantien* jusqu'à son être. Vous aurez peut-être la surprise de constater un changement radical d'attitude chez cette personne. La partie la plus ardue de l'exercice consiste à conserver une énergie positive lorsqu'on est l'objet d'une agression. Ce n'est pas une mince affaire ! Mais souvenez-vous que, dans la vie, tout est question d'entraînement. Par conséquent, lorsque quelqu'un projettera de l'hostilité vers vous, voyez-y une excellente occasion de vous entraîner à projeter des «Je t'aime» !

En nous intéressant au *chi*, au centrage et au flux, nous découvrons que nous pouvons diriger un rayon positif d'énergie depuis notre *dantien* en direction de tout être ou de tout lieu situé en dehors de nous.

Le centrage nous aide à établir un lien avec autrui. Certaines personnes entrent dans une pièce et semblent se fondre dans la masse : leur *chi* est contracté. D'autres rayonnent d'énergie : leur *chi* est étendu. Les gens qui ont du charisme ont la faculté d'irradier une énergie magnétique, à étendre le *chi*. Là encore, cela se cultive. Personne n'est obligé de faire tapisserie. On peut apprendre à étendre son *chi* et à devenir un véritable aimant pour toutes les personnes présentes dans la pièce.

Le *chi* est étroitement lié à notre état émotionnel. Si nous nous sentons positifs, légers, heureux et pleins d'amour, nous sommes capables d'irradier une énergie magnétique. Lorsque nous entrons dans une pièce, les gens nous remarquent et ils ont envie d'être à nos côtés. Lorsque vous vous sentez négatif, lourd et triste, les gens vous évitent. Qui aurait envie de côtoyer autant d'énergie négative ? Les masochistes, sans doute !

Dans *Osez briser la glace,* je présente quantité d'outils permettant d'établir le lien avec autrui, en toute confiance et en toute sécurité. Il s'agit d'outils qui permettent d'étendre notre *chi*, de la manière la plus éclatante qui soit. Par exemple, en entrant dans une pièce remplie d'inconnus :

Tenez-vous droit, comme si votre centre regorgeait de confiance et d'amour.

Dites-vous que, quelle que soit la réaction que vous suscitez, vous êtes quelqu'un de bien, qui a beaucoup à donner. Cette pensée aide à se centrer !

Concentrez-vous sur ce que vous allez donner, depuis votre centre porteur de force et d'amour, plutôt que sur ce que vous allez recevoir, en terme d'acceptation ou d'approbation, de la part des gens qui vous entourent.

Entrez dans la pièce avec l'intention d'aider chacun à se sentir bien, en irradiant l'énergie émanant de votre centre vers toutes les personnes présentes.

Vous voyez comment cette approche peut dissiper votre peur et vous rendre plus attrayant ? Comparez cette attitude à celle d'une personne terrorisée à l'idée qu'on ne l'aime pas, qu'elle ne porte pas les vêtements adaptés à la situation, qu'elle devrait peser cinq kilos de moins, ou qu'elle n'aura rien à dire à qui que ce soit. Ce type de pensées nous met en position d'infériorité et irradie une énergie de faiblesse. Là aussi, qui aurait envie de venir vous parler pour partager votre énergie ?

Ce qui est formidable, avec l'apprentissage du centrage, c'est qu'il s'agit d'un art qui peut s'appliquer à toutes les situations. Dans *Osez briser la glace*, j'explique comment je me sers des techniques de centrage pour surmonter ma peur lorsque je dois prendre la parole devant un public nombreux.

Avant de m'approcher de la scène, j'essaie de trouver un endroit d'où voir les visages de mon public.

En regardant les visages, j'étends mon chi en répétant silencieusement, à de nombreuses reprises : « Je vous aime. Je vous aime. Je vous aime. Je vous aime. » Je sais, cela a l'air bizarre, mais ma nervosité commence à s'estomper, et je ressens un lien d'amour avec mon public.

Une fois que l'orateur m'a présentée, je m'avance sur la scène et je me centre physiquement, en sentant mes pieds solidement posés sur le sol, avec des racines qui s'enfoncent jusqu'à la terre. Ce faisant, je me visualise alignée avec mon moi supérieur, et je me rappelle que mon seul objectif est de donner de l'amour.

J'imagine ensuite un rayon de lumière qui émerge d'en haut, qui baigne mon être de lumière, qui inonde la pièce et qui auréole toutes les personnes assises devant moi. Ces deux dernières étapes ne demandent que quelques secondes.

Je ne puis décrire la sensation de bien-être qui m'envahit lorsque j'établis le lien avec mon public, depuis ce lieu d'amour et de partage. Quel contraste avec l'époque où mes jambes tremblaient, où mon cœur battait à tout rompre et où j'étais tétanisée à l'idée de ne pas être « la meilleure » ! Maintenant, quand je parle, je suis enracinée tout en étant fluide, et totalement connectée à mon public.

Le centrage permet de se sentir chez soi. En restant centrés, nous nous percevons comme des êtres fermement enracinés dans notre propre Univers. Cela aide aussi l'individu à ne pas chercher perpétuellement à s'attacher à quelqu'un d'autre. Le centrage est aussi très «transportable»: nous pouvons l'emporter avec nous, où que nous allions, pour ne jamais nous sentir perdus. Ram Dass raconte une anecdote extraordinaire. Il était en tournée dans tout le pays pour prononcer des discours, et sa maison lui manquait. Un soir, il est entré dans sa chambre d'hôtel, et il s'est senti seul et perdu. Il s'est souvenu alors qu'il portait son chez lui en lui, où qu'il aille. Bien sûr! Après cette révélation, il est sorti de sa chambre, refermant la porte derrière lui. Puis il a fait demi-tour, il a ouvert la porte à nouveau, et il est entré dans la chambre en criant: «Je suis rentré!» Il ne se sentait plus perdu. On est toujours chez soi quand on reste proche du centre de son être.

Voilà quelques améliorations que le centrage peut apporter à la qualité de votre vie. Pour aller encore plus loin, créez-vous un ENVIRONNEMENT CENTRÉ (toute aide est bonne à prendre!). Par exemple, mieux vaut entretenir des amitiés avec des gens positifs, plutôt qu'avec des «compagnons d'infortune», avec qui on ne fait que se plaindre. Or les gens qui râlent sans cesse ne sont pas centrés. Par définition, ils laissent le monde qui les entoure affecter leur bonheur – et le nôtre, si nous les laissons faire. En choisissant des amis centrés, nous nous construisons un environnement plus stable – ce qui nous aidera durant les périodes où il nous faudra côtoyer des gens éparpillés et faibles.

Nous pouvons également centrer notre cadre de vie, en nous entourant de choses qui viendront nous nourrir. Par exemple, des affirmations et des citations intéressantes placées bien en vue nous aideront à nous focaliser sur la beauté dans nos vies. De même, des couleurs accueillantes, sur les murs et dans le mobilier, créent une ambiance chaleureuse. Certains objets qui nous ravissent y contribuent également. Ainsi, le Bouddha souriant qui trône sur mon bureau me rappelle de revenir à mon centre.

Tant de gens vivent dans des environnements qui ressemblent à de véritables cachots… Certains attendent de rencontrer l'âme sœur qui changera leur vie, en la rendant enfin complète. D'autres, après une séparation, n'ont jamais vidé leurs cartons dans leur nouveau domicile – au sens propre comme au sens figuré. Après avoir perdu un foyer, ils n'en ont jamais recréé. Regardez autour de vous et voyez ce que vous pourriez faire pour créer un environnement respirant l'amour et la force. Ensuite, passez à l'action.

Le concept du centrage peut être intégré à nos vies quotidiennes de diverses façons, dont je ne vous ai livré ici qu'un rapide aperçu. Intéressez-vous davantage à cet outil fascinant. Là aussi, il est important de pratiquer des exercices quotidiens, pour apprendre à s'aligner avec la partie la plus élevée de son être. L'être humain ne se centre pas une fois pour toutes, pour le reste de son existence. Dans ce monde chaotique, on a tôt fait d'être décentré. Mais il est fort rassurant de savoir que nous possédons les outils nécessaires pour nous replacer dans un lieu de puissance. Il suffit de remarquer qu'il est temps de se ressaisir.

Dans un monde en perpétuel changement, il y a toujours des ajustements à faire pour garder le pied marin. Et l'état de centrage permet définitivement à l'individu de garder le cap, de manière aimante et puissante. Désormais, nous sommes en mesure de comprendre combien le CENTRAGE est un outil magnifique pour qui souhaite déposer les armes et se réconcilier avec la vie.

CHAPITRE 16

Dansez la danse de la vie

« Le courant de la vie qui coule dans le monde coule aussi dans mes veines, nuit et jour, et il danse en rythme. C'est la même vie qui jaillit joyeusement à travers la terre, qui donne naissance à d'innombrables brins d'herbe et qui éclate en vagues tumultueuses de feuilles et de fleurs. » (Rabindranath Tagore[1])

Lorsque je me suis réveillée, dans mon hôtel de San Francisco, le soleil entrait à flots par la fenêtre de ma chambre. C'était une journée magnifique. Je me suis levée pour regarder par la fenêtre et admirer la jolie vue. Dans le parc en face de l'hôtel, quelque chose a retenu mon attention : des Asiatiques de tous âges exécutaient une danse gracieuse, méditative et paisible. Certains portaient des vêtements décontractés, d'autres des tenues plus habillées, visiblement prêts à aller travailler.

J'étais fascinée par la douceur de ces mouvements lents et fluides, qui semblaient avoir un but précis. Il faut savoir que d'ordinaire, tout ce qui ressemble de près

---

1. Citation publiée dans la *Noetic Sciences Review*, au printemps 1994, Institute of Noetic Sciences, 475 Gate Five Road, Suite 300, Sausalito, CA 94965, États-Unis.

ou de loin à un sport me donne envie de prendre mes jambes à mon cou ! Mais les enchaînements de mouvements que je voyais là exerçaient sur moi une incroyable attirance. Il fallait absolument que je découvre de quoi il s'agissait.

Renseignements pris, j'ai appris que ces mouvements fluides étaient un art martial, le TAÏ CHI, dérivé des enseignements du tao. Il existe quantité de définitions différentes du taï chi, mais toutes parlent d'un mouvement sans effort, réalisé en toute liberté, avec le flux de la nature. Une danse parfaite, à une époque placée sous le signe des combats ! J'ai également découvert que la danse du taï chi n'est pas un phénomène spécifique à San Francisco. En Chine, des millions de gens pratiquent cet art martial, généralement en groupes, tous les matins avant d'aller travailler.

Il existe différentes formes de taï chi. Il peut s'étudier comme une discipline stricte, avec des positions très précises, impliquant des années d'étude. Il peut aussi être considéré comme une méditation en mouvement ou une danse permettant à l'individu de se centrer, et donc de rester concentré sur sa force, son pouvoir et sa connexion à toute chose. Pour qui souhaite déposer les armes et se réconcilier avec la vie, la seconde approche est nettement préférable.

En écrivant ces lignes, je me rends compte combien il serait formidable de pouvoir vous dire : « Approchez-vous de cette fenêtre d'hôtel et regardez ! » Je ne peux pas non plus vous dire : « Allez, levez-vous de votre chaise et venez faire ces mouvements avec moi. Voyez comme ils sont extraordinaires !» La parole écrite a ses limites…

Nikki Winston présente quatorze mouvements tout simples, riches de sens, qui vous aideront à saisir la magie et la majesté de cette danse. Vous verrez que les mouvements et la musique, associés aux métaphores présentées par Nikki Winston, peuvent métamorphoser votre existence. J'en ai fait un rituel : tous les matins, je danse le taï chi pendant vingt minutes avec elle, par vidéo interposée. Quelle magnifique manière de commencer la journée ! Une fois que l'on a découvert ces mouvements magiques et ces métaphores, on ne peut qu'avoir envie d'en faire un rituel quotidien, qui nous rappelle tout ce qui est beau dans ce monde.

Vous n'avez pas besoin d'être un bon danseur pour pratiquer le taï chi. Cet art martial convient aussi bien aux sportifs accomplis qu'aux seniors sans condition physique. Même les personnes en fauteuil roulant peuvent tirer un profit considérable de ces mouvements et de ces métaphores, qui s'intégreront à leur vie quotidienne.

L'un des aspects les plus spectaculaires du taï chi réside dans la lenteur hypnotisante des mouvements – qui donnent l'impression de regarder un film au ralenti. En faisant du taï chi, vous aurez le sentiment que votre monde ralentit, adoptant un rythme incroyablement paisible qui permet de regarder en pleine conscience et en profondeur tout ce qui vous entoure. Chaque geste débouche sur le suivant, avec une magnifique fluidité.

La lenteur des mouvements à elle seule procure déjà une sensation de sérénité et de respect. Au taï chi, l'enjeu n'est pas de se surpasser, mais de se « sous-passer » – de vivre sa vie avec fluidité et non avec force.

Les mouvements de taï chi dégagent une sensation de paix. En outre, chaque geste possède une significa-tion profonde qui vient assouvir un besoin de notre être. L'association des mouvements et du sens apporte des bienfaits considérables. En voici quelques-uns : le taï chi aide l'individu à se focaliser sur le présent, il atténue le stress, il accroît son aptitude à apprécier les cadeaux de l'existence, il lui donne davantage d'assurance, grâce à la conviction qu'il possède quantité de supports en lui et autour de lui, il ralentit le processus de vieillissement, il améliore la circulation, il aide l'être humain à se sentir plus centré, enraciné, détendu, éveillé, conscient et plein d'énergie – ce qui aide l'Esprit à prendre son envol ! Une fois de plus, voilà une excellente manière de commencer la journée !

Pourquoi le taï chi possède-t-il des effets aussi extraor-dinaires ? Pour commencer, ses mouvements et ses métaphores sont tous inspirés de la nature[1]. Les fonda-teurs de cet art martial, né voici des milliers d'années, pensaient que pour comprendre la vie et l'apprécier, il

1. Merci à Nikki Winston pour l'entretien qu'elle m'a accordé, qui m'a permis de mieux comprendre les métaphores de la nature dans le taï chi.

faut regarder la nature. Vous vous demandez ce que la nature peut apporter à votre vie quotidienne (surtout si vous vivez dans une grande ville) ? La réponse est : beaucoup ! La nature nous livre quantité d'exemples de « savoir-vivre ». Les « cinq éléments » qui interviennent dans la danse du taï chi en sont l'illustration parfaite.

LE FEU. Cet élément, qui permet de laisser filtrer notre lumière intérieure, représente la vie et l'amour de la vie. Il est associé aux cadeaux que nous avons à offrir au monde. Chaque individu possède le don du feu, mais nous sommes nombreux à le garder en nous, de peur de déranger les autres par notre puissance. Le taï chi nous enseigne qu'il est magnifique de laisser briller notre lumière dans le monde, sans la retenir.

L'EAU. La fraîcheur de l'eau est le complément de la chaleur du feu qui brûle en nous. Le feu correspond au yang, l'élément masculin, tandis que l'eau correspond au yin, l'élément féminin – un équilibre parfait. Souvent jugée douce et simple, l'eau possède aussi de la puissance. Oui, l'eau peut charrier des rochers…

Les relations entre l'eau et le monde qui l'entoure sont riches en enseignements. L'eau est fluide, elle contourne les obstacles qui se dressent sur son chemin (sans s'arrêter pour entamer un conflit !). Elle coule vers l'aval et ne s'escrime pas à remonter en amont – ce que nous sommes nombreux à tenter de faire. Elle suit le flux. C'est peut-être ce qui rend le spectacle de l'eau si apaisant pour la psyché humaine. Elle incarne une manière d'être à laquelle nous aspirons tous.

LE BOIS. Solide et enraciné, l'arbre possède néanmoins une grande souplesse. S'il s'élance vers le ciel, il a aussi les racines plongées dans le sol, où il puise sa nourriture. L'arbre, qui «regarde» dans toutes les directions, nous suggère de prendre le temps de regarder autour de nous, en étant ouvert à de nouvelles expériences. Chaque arbre est différent, et tous les arbres sont beaux. Lorsqu'ils suivent le mouvement du vent, chacun exécute sa propre danse. Une belle leçon à retenir pour les Hommes !

LE MÉTAL. L'or est souvent utilisé comme symbole du métal. Il représente tout ce qui peut contribuer à notre intérêt supérieur dans le monde extérieur. Le taï chi nous montre que nous sommes capables de laisser entrer dans notre monde tout ce dont nous avons besoin, et qu'il n'y a pas de pénurie d'amour, de nourriture et de richesses.

LA TERRE. La terre représente la stabilité. Reliés à elle, nous nous sentons puissants et enracinés. Lorsque Tom Crum est devenu impossible à soulever, comme nous l'avons vu au chapitre précédent, il s'est connecté à l'élément terre. Il a dirigé le *chi* de son *dantien* dans le sol, en passant par ses pieds. Tel un arbre, il est devenu indéracinable. En plongeant notre énergie dans le sol, nous devenons nous aussi impossibles à déraciner.

Grâce aux symboles de la nature, le taï chi nous apprend à équilibrer les énergies du yin et du yang (les énergies féminine et masculine) au sein de notre être. La sagesse ancestrale nous dit que : « Dans la nature, le yang est le feu. Trop de feu brûle la plante. Dans la nature, le yin est l'eau. Trop d'eau fait pourrir la plante[1]. »

En quantité trop importante, une chose positive peut devenir négative. Nous avons besoin d'un équilibre entre nos rôles masculin et féminin. La sagesse ancestrale dont le taï chi est issu n'approuverait pas l'idée que l'homme soit exclusivement yang (fort, actif et agressif), et la femme uniquement yin (accommodante, passive et aimante), ce qui serait source de déséquilibre. Notre être doit intégrer ces deux composantes pour aboutir à une harmonie.

Nous aspirons aussi à l'équilibre dans la vie quotidienne – une gageure, compte tenu de la profusion d'événements qui se déroulent autour de nous : les enfants qui pleurent, les embouteillages qui nous épuisent, la télévision qui hurle, le patron qui crie, le travail qui s'accumule. Mais le simple fait de se plonger quelques minutes dans le symbolisme de la nature eut apporter une sensation de calme.

La danse du taï chi comporte d'autres symboles qui nous aident à atteindre l'équilibre. Pour illustrer mon

1. Eva Wong, *Le Tao*, Guy Trédaniel, 2001.

propos, j'aimerais vous initier à la signification profonde des quatorze mouvements que Nikki Winston présente dans son excellente vidéo de taï chi.

1. Pour commencer, il faut regarder en soi avant de s'aventurer dans le monde. L'introspection est excellente pour le corps, pour l'esprit et pour l'âme. Elle aide l'être humain à découvrir l'essence de ce qu'il est et le lien qui l'unit à toute chose. Elle lui permet aussi de voir s'il est «bloqué» dans son cheminement dans la vie et d'identifier les mesures à prendre pour continuer à avancer.

2. Maintenant, vous pouvez vous ouvrir à la vie. Écartez le rideau de perles qui vous empêche de voir tout ce qui s'offre à vous. En vous ouvrant à la lumière, vous élargissez votre angle de vision et vous prenez conscience des ressources qui sont là, ne demandant qu'à être exploitées.

3. Tendez la main vers le ciel et vers la terre, et faites entrer l'énergie de l'Univers dans chaque cellule de votre être. Le ciel représente vos rêves, la terre votre réalité. Intégrez-les tous deux à votre être, pour apporter de l'équilibre à votre vision. Le potentiel est illimité. Sentez comme vous vous tenez droit, centré et fort. Vous n'êtes jamais privé des ressources puissantes de l'Univers.

4. Puisez toute l'énergie nécessaire dans la terre et dans le ciel, et placez-la dans votre *dantien*, le centre de votre être, pour alimenter le feu, l'énergie créatrice. Sentez comme elle inonde tout votre être.

5. Ensuite, diffusez votre feu vers le monde. Ne le retenez pas. Offrez ce que vous êtes à tous ceux qui

vous entourent. Laissez votre essence réchauffer le monde, aussi loin que porte le regard. Visualisez ceux qui reçoivent votre puissante étincelle de vie et qui se nourrissent de votre don. Sentez comme la vie est belle et passionnante.

6. Pour équilibrer votre énergie, laissez un filet d'eau couler doucement sur vous et à travers vous, lavant toutes les zones de votre vie qui sont bloquées. Laissez l'eau vous rafraîchir, pour ne pas être consumé par le feu. Soyez totalement détendu et fluide, tandis que l'eau trouve son chemin vers la terre, sous vos pieds.

7. Tel un arbre, plantez-vous solidement dans le sol, en laissant vos branches se balancer au vent, souples et incassables. Tenez-vous droit, sentez la chaleur du soleil qui nourrit tout votre être. Regardez autour de vous. Voyez l'abondance de possibilités qui vous entourent.

8. Maintenant, choisissez «l'or» que vous voulez intégrer à votre vie. Ramassez ce dont vous avez besoin pour vous nourrir : l'amour, la force, la connexion ou toute autre richesse. Laissez entrer tout cela dans votre cœur et dans votre centre. Sentez l'abondance dans votre vie. Aimez-la. Appréciez-la.

9. Ensuite, lâchez prise. Ne vous accrochez pas à quoi que ce soit. En découvrant l'essence de votre être et votre connexion à toute chose, vous comprendrez que vous n'avez pas besoin de vous accrocher à quoi que ce soit. Aimez ce qui vous entoure, jouissez-en, mais ne vous y accrochez pas. Il y aura toujours de nouvelles choses qui se présenteront. En lâchant prise et en vous défaisant

de la peur et des souffrances inhérentes à l'attachement, vous devenez libre. Sentez le soulagement qu'apporte cette liberté. Sentez comme vous vous allégez de la pesanteur créée par les attachements.

10. Ce sentiment de liberté vous permet de voler comme un aigle, surnommé l'oiseau de l'illumination. Un conte des Indiens d'Amérique conseille de déposer nos prières sur les ailes d'un aigle, l'oiseau qui s'approche le plus du soleil et de Dieu. Libre et léger, vous pouvez prendre votre envol. Vous ressentez la liberté d'une vie sans fardeau.

11. Animé de cette sensation de liberté, revenez sur terre. Autorisez-vous à vous sentir enraciné et entier. Sentez la force du ciel, au-dessus de votre tête, et de la terre, sous vos pieds. Laissez-les nourrir votre esprit.

12. En tirant l'énergie de la terre pour la faire venir en vous et à travers tout votre corps, ouvrez-vous comme un lotus d'or, symbole de la sagesse et de la beauté qui sont votre essence. Vous vous épanouissez en une magnifique fleur : laissez cette joie pénétrer votre être et déborder dans le monde qui vous entoure. Quel joli spectacle !

13. Ensuite, « embrassez le tigre », c'est-à-dire embrassez toute la vie. Acceptez et saluez tout, sans rien repousser. Embrassez ce que vous êtes. Embrassez les difficultés. Embrassez vos peurs. Embrassez vos joies. Embrassez vos faiblesses. Embrassez vos forces. Embrassez la vie. Embrassez tout ce qui existe.

14. Enfin, « revenez à la montagne ». Revenez au centre. Rentrez à la maison. Vous êtes en sécurité. Vous

êtes enraciné. Vous êtes entier. Vous êtes libre. Vous reposez sur un sol solide. Honorez l'instant présent et l'endroit où vous êtes. Honorez vos sentiments. Honorez votre parcours dans la vie jusqu'ici. C'est le sommet de votre montagne. Embrassez-la et soyez en paix.

Voilà les quatorze étapes d'un incroyable périple ! Cette danse toute simple recouvre l'essence de tout ce dont j'ai parlé jusqu'ici : lâcher prise, embrasser, méditer, être joyeux, être en paix, vivre en profondeur, être équilibré, créer des rituels, rendre grâces, lever le pied, se centrer, se dire que tout va pour le mieux, transcender les détails sans importance, grimper à l'échelle de la réussite authentique, se sentir en sécurité, avoir de la patience, flotter avec l'Univers, et bien d'autres choses encore.

En commençant chaque journée avec cet enchaînement répété plusieurs fois, vous parcourrez la Terre, plus puissant et plus aimant. La répétition quotidienne de ces mouvements métamorphosera vos relations à tout ce qui vous entoure. À chaque fois que vous « reviendrez à la montagne », vous serez quelqu'un d'autre, doté d'une conscience plus profonde de ce qui est inhérent à votre essence. Vous comprendrez que la vie est ouverture et fermeture, donner et recevoir, flux et enracinement. Progressivement, vous vous dépouillerez des strates de conditionnement qui vous gardent prisonnier d'un mode de pensée linéaire et rigide. Chaque retour à la maison est un recommencement.

Je ne saurais que trop souligner la puissance de l'association des mouvements physiques et du symbolisme inhérent au taï chi, qui amplifie considérablement son effet. Par exemple, à chaque fois que je lâche prise en écartant les bras (étape 9), je me surprends à pousser un profond soupir de soulagement. Certaines fois, je suis émue aux larmes. De toute évidence, le lâcher prise est une chose qui me donne du fil à retordre dans divers domaines de ma vie. Or réussir à lâcher prise est une véritable bénédiction.

À chaque fois que j'exécute ce mouvement, en sachant ce qu'il symbolise, je lâche prise, un peu plus, et un peu plus, et encore un peu plus. Ce faisant, je me sens de plus en plus légère. La notion de «lâcher prise», en elle-même, est puissante. Associée au geste qui représente physiquement le lâcher prise, elle me touche encore plus profondément. Certains jours, je m'attarde sur ce mouvement précis, que je répète plusieurs fois de suite, juste pour sentir le soulagement que ce geste tout simple m'apporte. Parfois, pendant la journée, il m'arrive d'être contrariée parce que je me cramponne trop à certaines choses : dans ce cas, je me lève, je répète les mouvements de l'étape 9 et je respire profondément. Soulagement immédiat ! Le simple fait de m'imaginer en train d'exécuter ce mouvement me permet de me sentir plus légère.

Bien évidemment, faire du taï chi au sommet d'une montagne confine au sublime. Mais bizarrement, lorsque je fais ma petite danse du taï chi pendant une journée très mouvementée, elle a encore plus d'impact.

Quiconque est installé au sommet d'une montagne est déjà sorti de la routine du quotidien ! Or c'est justement lorsque nous sommes aux prises avec les détails anodins de l'existence que nous avons besoin qu'en nous quelque chose nous rappelle ce qui fait l'essence de notre être. Si vous avez le sentiment d'être décentré, après une journée mouvementée, le taï chi vous aidera à vous recentrer. Il suffit de se mettre debout et d'exécuter ces mouvements à plusieurs reprises : ils procurent un bien-être incroyable. De vraies vacances au beau milieu d'une journée stressante.

En répétant ces gestes, chaque métaphore et chaque mouvement se mettent à vivre en nous, métamorphosant nos relations à tout ce qui nous entoure. C'est pourquoi je vous conseille de vous procurer la vidéo dont j'ai parlé plus haut : c'est une excellente initiation. Par ailleurs, vous aurez peut-être envie de vous inscrire à un stage ou à un cours de taï chi, s'il y en a à côté de chez vous. Quelques mots sur les professeurs de taï chi : ils utilisent tous des métaphores et des mouvements différents, ce qui est une excellente chose : plus les apports seront divers, plus le taï chi vous paraîtra riche. En revanche, certains instructeurs se contentent d'enseigner des mouvements. C'est dommage, car les métaphores donnent du sens aux mouvements. Pour déposer les armes et se réconcilier avec la vie, il faut un professeur qui enseigne les deux, ce qui est parfois difficile à trouver.

Il vous faut aussi un professeur qui vous laissera danser votre propre danse. Nombre d'entre eux enseignent des gestes extrêmement précis. Là encore, pour qui veut déposer les armes et se réconcilier avec la vie, ce n'est pas l'idéal. En aspirant à la perfection, nous ne faisons que perpétuer notre rigidité, notre besoin de tout contrôler, ce qui suscite des combats dans notre existence. Souvenez-vous que :

Nous ne sommes pas venus au monde pour nous accrocher à des positions. Et nous ne sommes pas faits pour être parfaits. Nous sommes faits pour flotter dans un monde qui bouge constamment sous nos pieds.

Certains adeptes d'une école spécifique de taï chi portent des jugements à l'emporte-pièce sur les autres styles – des jugements catégoriques qui manquent de fluidité. Dans notre société, nous aimons les choses bien compartimentées. Or le taï chi ne s'inscrit pas dans cette logique.

Il y a une anecdote connue d'un maître de taï chi, dont les disciples exécutaient de beaux mouvements fluides, sauf lorsqu'ils se tournaient sur la droite. Là, ils se penchaient bizarrement. Lorsqu'on demandait aux disciples : « Pourquoi faites-vous ce mouvement de cette manière ? », ils répondaient : « C'est ainsi que mon maître le faisait. » Ce dont les disciples n'avaient pas tenu compte, c'est que leur maître avait une jambe plus courte que l'autre ! S'ils avaient respecté leur propre essence, sans imiter le maître, ils n'auraient sûrement pas exécuté ce mouvement de cette manière !

Vous saurez que vous êtes dans un bon cours si vous vous sentez bien et si votre enseignant éveille la part spirituelle de votre être. À mes yeux, la mission première d'un enseignant est de fournir à ses élèves l'espace nécessaire pour en découvrir davantage sur eux-mêmes et pour élaborer leur propre taï chi.

Oui, chaque être humain a sa propre danse à exécuter, au sens propre et au sens figuré. Les uns ont envie d'ouvrir grands les bras à de nouvelles aventures. Les autres, pour l'heure, préfèrent se contenter d'entrouvrir le rideau. Les uns ont envie d'allumer un gigantesque feu de joie. Les autres ont envie d'une toute petite flamme pour irradier leur lumière personnelle vers le monde. Ne vous préoccupez jamais de savoir si vous vous y prenez mal. Il n'y a pas de mauvaise manière de faire. C'est votre danse. Et chaque jour, chacun de nous exécute une nouvelle danse. Faites confiance à votre rythme, à vos mouvements.

Au début, ces gestes pourront vous sembler un peu déconcertants. Mais très vite, vous éprouverez une sensation de facilité et de fluidité. À mesure que notre essence personnelle émerge, nous ressentons un extraordinaire sentiment de liberté, d'expansion, de sécurité et de paix. Dans un monde en perpétuelle évolution, nous avons besoin de pense-bêtes quotidiens, qui nous rappellent que tout va bien. Et en exécutant la danse du taï chi, nous savons que TOUT VA BIEN !

Comme je l'ai dit plus haut, le taï chi est qualifié de «méditation en mouvement» et, en tant que telle, il est sublime. Le taï chi apaise l'esprit et focalise l'individu sur les aspects spirituels de l'existence dont il tire sa puissance, sa sensation de fluidité, sa joie. Beaucoup de gens considèrent qu'une méditation en mouvement apporte davantage de tranquillité qu'une méditation assise. C'est particulièrement vrai pour tous ceux qui ont du mal à tenir en place. Si c'est votre cas, le taï chi facilitera peut-être votre initiation à la méditation. D'autres pensent que dans la mesure où la vie est mouvement, une méditation en mouvement est mieux adaptée au monde de tous les jours.

Toutefois, le taï chi n'est pas seulement une méditation en mouvement. C'est aussi un ensemble puissant d'affirmations traduites dans le corps. Ces affirmations nous disent…

Je suis libre. Je suis fluide. Je suis connecté. Je suis riche. Je suis entier. J'embrasse tout. Je suis nourri. J'ai beaucoup à donner. Je peux prendre mon envol. Je suis en paix. Je lâche prise.

Les affirmations sont encore plus efficaces lorsque les messages peuvent s'inscrire dans le corps. Les affirmations du taï chi créent une énergie associée à la puissance, en nous et autour de nous. Rien ne nous oblige à accepter la négativité de notre voix intérieure. Nous pouvons la faire taire. Pour bien faire, il faut pratiquer le taï chi jusqu'à ce qu'il vienne s'intégrer à notre vie quotidienne, jusqu'à ce que nous soyons en mesure de nous dire : « Je vis ma vie en taï chi. » Pour moi,

Vivre en taï chi signifie... fonctionner naturellement et facilement... sans rien qui nous encombre... totalement en phase avec l'Univers... toutes nos attentes et toutes les choses auxquelles nous nous accrochions sont mises de côté... à mesure que nous apprenons le secret pour flotter avec tous les événements qui nous entourent.

C'est un objectif ambitieux, qui vaut vraiment la peine que l'on travaille dans sa direction.

De toute évidence, le taï chi ne change pas le monde extérieur. En revanche, il nous apprend à rester centré au cœur de la tourmente. Il nous donne le pied marin. Il nous aide aussi à rentrer chez nous lorsque nous nous sommes égarés. Avec cette paix au plus profond de notre être, nous possédons un port vers lequel nous pouvons toujours retourner. Ce qui est formidable, c'est qu'il s'agit d'un port mobile ! Nous pouvons l'emporter avec nous, où que nous allions.

Alors, offrez-vous le taï chi. Si vous avez des enfants, initiez-les à la pratique de cette danse magnifique. Il est extraordinaire d'apprendre, dès son plus jeune âge, les leçons de vie qu'enseigne le taï chi. Jeunes ou vieux, je crois que nous avons TOUS besoin de nous joindre aux millions de Chinois qui commencent leur journée avec le taï chi. En atteignant l'harmonie du corps, de l'esprit et du moi supérieur au début de chaque journée, nous avançons dans la vie avec puissance et amour. Quel cadeau pour nous-mêmes et pour le monde qui nous entoure !

CHAPITRE 17

Allégez-vous
grâce au rire et à la joie

« Peu importe le nombre de nos réussites. Si elles ne nous font pas sauter de joie, elles ne nous apportent rien sur le plan émotionnel. » (Astarius Reiki-Om[1])

Vous souvenez-vous de la dernière fois où vous avez eu un large sourire, un rire dans le ventre, le cœur léger et un sentiment d'exubérance, dus au seul miracle d'être en vie ? Cela fait longtemps ? Eh bien, sachez que vous n'êtes pas le seul. Le monde dans lequel nous vivons est, semble-t-il, bien «pesant». Tant de choses lestent notre existence. La légèreté et le rire font défaut à quantité de vies.

L'apparition de séminaires apprenant aux participants à rire et à s'amuser en dit long[2] ! Ils nous révèlent quelque

....

1. Astarius Reiki-Om, *The New Mexican Newspaper*, section Pasatiempo, 16-22 juillet 1993, p. 18.
2. Howard Papush, surnommé le «Dr Play», apprend au personnel d'entreprises et d'organisations américaines à travailler ensemble plus efficacement, dans une atmosphère d'amusement, de légèreté et de rire.

chose d'extrêmement fort sur notre société : nous avons perdu notre aptitude à apprécier trois des plus grands cadeaux de l'existence : la légèreté, le rire et la joie.

Regardez autour de vous. Le monde des affaires est ultrasérieux. Le monde des sports est ultrasérieux. Les relations de couple sont ultrasérieuses. Le statut de parent est ultrasérieux. Même le sexe et la nourriture, deux dons comptant potentiellement parmi les plus joyeux qui soient, sont devenus des sujets ultrasérieux. Nous avons perdu notre aptitude à profiter authentiquement de la vie.

Notre société est non seulement très sérieuse, mais aussi rationnelle, logique, méthodique et structurée. Comment pourrait-on apprendre à danser avec la vie dans un carcan aussi rigide ? Danser avec la vie, par définition, cela signifie s'incurver, se mélanger, se plier, décrire des cercles et flotter – comme la nature. Les « mauvais » danseurs sont raides, rigides et méthodiques, totalement déconnectés du flux ininterrompu de l'énergie de l'Univers.

Robert Johnson, un psychanalyste de l'école jungienne, a donné un nom à ce flux d'énergie : il parle d'« énergie dionysiaque », qu'il définit comme « la force vitale qui coule en chacun de nous et nous unit au ciel et à la terre[1]. » Quelle belle image ! Dionysos, le dieu

....

1. Robert A. Johnson, *Ecstasy: Understanding the Psychology of Joy*, San Francisco, Harper, 1987, p. 11.

grec du vin et de l'extase, est parfois décrit sous un angle négatif. Johnson met en lumière sa facette positive. Il dit que l'être humain touche l'énergie dionysiaque lorsqu'il sent une force revigorante traverser son corps, le genre d'énergie qui le fait sauter de joie.

Johnson dresse un constat très important sur le monde actuel. Selon lui, l'individu qui ne laisse pas émerger la qualité dionysiaque naturelle et saine dont il est porteur compense, en cherchant des sensations fortes là où il peut les trouver, ce qui pourrait expliquer en partie nos addictions à la drogue, à l'alcool, à la nourriture, à la criminalité, à la violence ou au sexe. Toutes ces addictions peuvent être envisagées comme de l'énergie dionysiaque dévoyée. Elles viennent alors combler le vide dû à la perte de contact avec la joie intrinsèque que nous portons en nous. Pour Johnson, l'addiction est la «face négative de la quête spirituelle.» Il dit : «Nous sommes en quête d'une exultation de l'esprit. Au lieu de l'épanouissement, nous obtenons une sensation physique de courte durée, qui ne parvient jamais à combler le vide chronique dévorant qui nous ronge[1].» Il nous dit que…

Nombre de nos addictions viennent de notre incapacité à plonger profondément au cœur de notre être, là où se trouve la source de la joie, pour intégrer cette joie à la danse de la vie quotidienne. En désespoir de cause, nous recherchons des

1. *Ibid.*, p. vii.

exutoires temporaires là où nous pouvons les trouver, même s'ils impliquent notre autodestruction.

Que faire ? Comment faire revenir dans nos yeux l'éclat issu de la lumière rayonnante de notre joie intérieure, de notre énergie dionysiaque ? Clairement, avant toute chose, nous devons apprendre à nous alléger ! Comme G. K. Chesterton nous le rappelle, « Si les anges volent, c'est parce qu'ils sont légers ! » Tout ce dont j'ai parlé jusqu'à présent a trait, de près ou de loin, à l'idée de s'alléger et de trouver la joie. Permettez-moi de vous livrer quelques pistes supplémentaires pour trouver l'énergie dionysiaque en vous.

PLANTEZ UN SOURIRE SUR VOTRE VISAGE. Ne sous-estimez jamais le pouvoir d'un sourire. Un sourire « allège » instantanément, il possède un pouvoir de métamorphose total. Sourire est si facile. Thich Nhat Hanh, un célèbre moine zen, nous conseille de réciter les quatre lignes suivantes, en inspirant et en expirant :

« En inspirant, j'apaise mon corps.

En expirant, je souris.

Je demeure dans l'instant présent,

Et je sais que c'est un moment magnifique[1] ! »

....

1. Thich Nhat Hanh, *La Paix en soi, la paix en marche*, Albin Michel, 2006.

Un sourire aide à comprendre bien des choses. Il permet de savoir que même lorsqu'une raison bien précise nous afflige, nous ne nous réduisons pas à notre tristesse. Il nous aide à comprendre que nous possédons la capacité de faire face aux nombreuses difficultés de l'existence et que nous avons toutes les raisons d'être reconnaissants. Le sourire est un outil magnifique qui permet de dire OUI à la vie.

Par conséquent, avec un simple sourire, vous pouvez vous alléger et intégrer de la joie à votre vie. Souriez quand vous êtes préoccupé. Souriez en marchant dans la rue. Souriez en vous réveillant le matin. Souriez en méditant, en faisant du taï chi ou en prononçant vos affirmations. Souriez en vous regardant dans la glace (souvenez-vous que la véritable beauté vient de ce sourire). Souriez, là, tout de suite. Comment vous sentez-vous ? Plus léger ? Plus heureux ? Oh oui !

APPRENEZ L'ART DE RIRE PAR LE VENTRE. Sourire est facile. Rire est beaucoup plus difficile. Cependant, il faut rire. Pourquoi ?

Le rire est très sain. Il modifie notre chimie intérieure négative, qui devient positive.

Le rire nous prodigue un massage intérieur, qui touche quantité d'organes.

Le rire est un exercice physique extraordinaire, qui raffermit le ventre.

Le rire atténue les tensions.

Le rire rend la vie magnifique.

Le rire compense la pesanteur par la légèreté.
Le rire est contagieux.
Le rire illumine le monde !

N'est-il pas intéressant que les Hommes se prennent tant au sérieux, alors qu'en réalité, la condition humaine est assez drôle ? Apprenons à rire de nous-mêmes avec un profond sentiment d'amour, tels des parents qui rient des tâtonnements de leurs enfants apprenant à marcher.

Nous sommes tous en train d'apprendre à marcher. Et parfois, nous nous cognons dans les murs !

À l'instar du sourire, le rire doit faire partie de notre vie quotidienne. Barry Stevens nous explique qu'en se réveillant le matin, elle s'étire puis elle rit : « Au début, le rire est un peu artificiel, mais très vite, il devient ridicule, ce qui débouche sur un vrai rire[1]. »

Chungliang Al Huang, notre maître de taï chi, est aussi un maître du rire. Dans son livre extraordinaire *Quantum Soup : Fortune Cookies in Crisis*, il nous apprend qu'un exercice taoïste et zen consiste à se détacher les cheveux, à faire ressortir son ventre et à hurler de rire. Il nous explique comment procéder : « Pour faire naître un bon rire, commencez par visualiser l'image d'une jeune pousse de bambou qui transperce

---

1. Barry Stevens, *Burst Out Laughing*, Berkeley, Celestial Arts, 1984, p. 97.

la terre. Au début, contentez-vous de l'idée du rire. Ne précipitez rien. Laissez grandir le rire, telle la pousse de bambou. Attendez qu'un sourire authentique se dessine sur votre visage. Laissez-le s'élargir, à mesure qu'un son commence à vous chatouiller la gorge. Maintenant, laissez-le faire des bonds dans votre poitrine. Là encore, ne le pressez pas ! Pensez au bambou qui pousse rapidement et qui s'élance vers le soleil, ses feuilles dansant dans l'air frais du printemps. Laissez votre corps suivre les feuilles, qui s'étendent dans toutes les directions. Votre souffle se fait plus fort, plus profond, plus large. Il s'étend. Laissez-le grandir. Regardez-le s'épanouir. Maintenant, donnez-lui sa sonorité. Un gloussement secoue vos épaules. Un éclat de rire prend naissance dans votre ventre. Ah – ah – ah – ah ! À présent, il s'échappe par la bouche, il frémit, il vous secoue, il s'épanouit et il éclate. Même vos doigts sont gagnés par le rire. Vos orteils, vos genoux, vos hanches et vos lèvres deviennent le rire. Il est partout. Ah – ah – ah ! "Est-ce moi qui ris ainsi ?", vous demandez-vous, et cette pensée absurde vous fait encore plus rire[1]. »

Comme c'est magnifique ! Dans l'un de ses stages de taï chi, Huang nous initie aussi à la nature du rire et de la joie. Il nous apprend à rire avec le ventre et explique que Confucius estimait qu'on ne peut faire confiance à

1. Chungliang Al Huang, *Quantum Soup: Fortune Cookies in Crisis*, Berkeley, Celestial Arts, 1991, p. 13-14.

quelqu'un qui rit sans faire bouger son ventre! Il disait aussi: «Soyez généreux de votre ventre[1]!»

Un autre conseil utile nous vient d'Annette Goodheart, spécialiste du rire: «Forcez-vous à rire jusqu'à ce que le rire vienne vraiment. Faites semblant de rire, jusqu'à ce que vous riiiez vraiment. Cela fonctionne, parce que le diaphragme est stupide: il est incapable de dire si on rit vraiment ou non[2].»

Nous n'avons pas besoin de vraie raison pour rire. En fait, on peut rire même quand tout va mal. Goodheart nous explique que: «Quand tout va mal, autant s'amuser[3]!»

Ma sœur Marcia et moi avons appris à rire pour métamorphoser les événements douloureux et leur donner de la légèreté. Au fil des années, nos rires nous ont aidées à «nous amuser quand tout allait mal.» Aujourd'hui encore, lorsque nous nous parlons au téléphone alors que l'une de nous est contrariée, nous finissons par rire comme des folles. Cela ne signifie pas

---

1. Chungliang Al Huang, *Embrace Tiger, Return to Mountain: Mythbody to Live By*, Berkeley, New Medicine Tape. 00 1 (1-800) 647-1110.
2. Tiré d'une interview d'Annette Goodheart, «Laugh Till You Cry», in *Association of Humanistic Psychology Newsletter*, juillet 1992, p. 12.
3. *Ibid.*, p. 13.

que la raison de notre contrariété était anodine et qu'elle n'a pas besoin d'être réglée, mais simplement que…

L'humour induit un changement de perception, qui permet à l'individu de se centrer en un lieu plein de puissance.

Le rire aide l'être humain à s'alléger et à se détacher du drame de l'existence, pour voir la vie sous un angle plus large et prendre conscience des nombreuses bénédictions de l'existence. Grâce la légèreté inhérente à l'humour, le rire offre un contrepoids à la pesanteur de notre souffrance. Or c'est justement l'équilibre qui permet un monde exempt de combats. Dès lors qu'on ne rit pas au détriment de quelqu'un, le rire est effectivement un cadeau qui mérite notre gratitude.

Faites entrer le rire dans tous les domaines de votre existence, même lorsque vous allez vous coucher. Mon mari et moi avions l'habitude de regarder les infos avant d'aller dormir, ce que nous ne faisons plus. Maintenant, nous regardons exclusivement des programmes comiques. Et nous dormons infiniment mieux, d'un sommeil plus joyeux!

APPRENEZ L'ART DE SAUTER DE JOIE. Nombre d'entre nous n'ont pas sauté de joie (au sens propre et au sens figuré) depuis bien longtemps. Comme je l'ai expliqué dans les chapitres précédents, c'est dû au fait que nous tenons tant de choses pour acquises. En intégrant à votre existence davantage d'outils permettant d'apprécier la vie, vous sauterez de joie plus régulièrement. Souvenons-nous que chaque «victoire» intérieure ou extérieure doit être célébrée. La plus grande de toutes, à mon sens, c'est simplement de se réveiller le matin, conscient du privilège d'être en vie. Une raison suffisante pour sauter de joie! Pas besoin pour cela d'attendre une victoire hors du commun dans la vie extérieure.

Étrangement, la plupart d'entre nous ne sautent même pas de joie lorsqu'ils obtiennent une telle victoire. Et je sais de quoi je parle. Autrefois, l'un de mes plus grands rêves était de publier un livre. Le jour où j'ai reçu au courrier un exemplaire de mon premier livre publié, j'ai littéralement sauté de joie. Par la suite, j'ai publié d'autres ouvrages, dont certains parus dans dix-neuf pays – désormais, l'ensemble de mes livres occupent deux grandes étagères. Mais très vite, j'ai pris cela pour acquis. Lorsqu'un nouvel exemplaire arrivait au courrier, je l'ajoutais machinalement sur les étagères où il allait rejoindre les autres, sans un seul moment de gratitude ni de célébration.

Un jour, alors que j'étais installée à mon bureau, j'ai regardé mes étagères, et tout à coup, le miracle m'est apparu. J'ai interrompu ce que j'étais en train de faire, je me suis approchée de l'étagère et j'ai célébré pour la première fois tous ces succès négligés, en sautant de joie. J'ai pris chaque livre et j'ai remercié son éditeur. J'ai remercié les lecteurs qui l'ont acheté. Je me suis remerciée moi-même, d'avoir surmonté ma peur et d'avoir écrit cet ouvrage. J'ai remercié ma Puissance Supérieure de m'avoir donné la force vitale d'être partie intégrante de ce monde incroyable.

En règle générale, nous ne consacrons pas suffisamment de temps à l'appréciation de nos victoires, petites et grandes. Nous nous focalisons sur ce que nous n'avons pas fait ou sur ce que nous devons faire. Ce qui, par définition, revient à choisir le combat à la place de la joie. Pensez-y lorsque vous décrocherez la prochaine victoire. Souvenez-vous que la véritable réussite consiste à prendre conscience de toutes les bénédictions et à les célébrer.

ENIVREZ-VOUS À LA VIE. Au-delà des sauts de joie, on trouve l'*ananda* des Védas indiens, à savoir la félicité ou la joie intérieure. La félicité n'a pas besoin de s'exprimer à l'extérieur, mais elle peut le faire. Elle rayonne à travers notre être et au-delà.

Souvenez-vous de la lettre de Sheila Byrd, au chapitre 5, qui disait : «Je mène une vie très simple. Toutefois, certains soirs, je n'arrive pas à m'endormir tellement je suis excitée en pensant à la journée du lendemain. Je trouve de la joie et du rire dans tout ce que je fais.» Sheila Byrd n'est pas une fêtarde, elle ne prend pas de drogue, elle n'a pas besoin de stimuli extérieurs pour être euphorique. Elle s'enivre de la vie. Elle connaît l'*ananda*. Elle tire toute sa joie et son rire de l'intérieur, en dépit d'une vie qui a été – et qui continue à être – très difficile.

Oui, même en proie aux pires difficultés, nous pouvons apprendre à vivre en mode «joie», et non «malheur», comme nous l'explique Barry Neil Kaufman. Dans son livre très émouvant, *Le bonheur, c'est un choix*, Kaufman raconte comment sa femme et lui ont réussi à guérir entièrement leur enfant handicapé qui souffrait de lésions neurologiques. Lorsque cet événement potentiellement tragique est survenu dans leur vie, ils ont délibérément choisi le bonheur à la place du malheur. Et c'est ce qui a fait toute la différence. Un parent ayant lui aussi un enfant handicapé a sévèrement critiqué la démarche de Kaufman, lui reprochant d'être parti d'un événement terrible pour faire croire qu'il était magnifique. Kaufman lui a répondu avec une grande gentillesse: «Avez-vous jamais pensé que vous étiez peut-être parti d'un événement magnifique pour croire qu'il était terrible[1]?»

Quelle leçon pour nous tous! Oui, le bonheur est un choix. Quantité de motifs de joie peuvent être dénichés dans tous les événements de la vie, simplement en se mettant en mode «joie».

Permettez-moi de vous citer un autre exemple. Pour la plupart des gens, les enterrements sont des moments tragiques, qu'ils vivent avec le cœur en mode «malheur» et «perte». Or les choses ne doivent pas forcément se passer ainsi. J'ai déjà assisté à des enterrements placés

---

1. Barry Neil Kaufman, *Le bonheur, c'est un choix*, Le Jour, 1993.

sous le signe de la joie. C'est ce qui s'est passé lorsque Diana, l'une de mes amies chères, a perdu son mari, après vingt-cinq ans de mariage. C'était un couple très uni, qui avait travaillé, joué et créé ensemble. Diana avait compris que l'on peut trouver de la joie en toute chose. Elle a organisé un enterrement qui a célébré, et non pleuré, la vie de son mari.

À l'enterrement, beaucoup de gens avaient une mine lugubre. À un moment, Diana s'est levée, et elle a demandé aux nombreux amis réunis dans l'église de se lever et de partager des anecdotes amusantes sur son mari. Très vite, l'église s'est emplie de rires et de joie. À la sortie, chacun s'est vu remettre un ballon de couleur vive. Nous nous sommes réunis dans le cimetière autour de l'église et, tous ensemble, nous avons lâché nos ballons dans les airs, un geste symbolique pour accompagner son mari dans la prochaine étape de son voyage, avec des couleurs et de la joie.

Il manquerait à tous ceux qui l'avaient connu, mais il était aussi célébré pour la beauté et les rires qu'il avait apportés sur cette terre. Pourrait-on imaginer plus bel hommage ?

Je tiens à préciser que Diana n'a pas évité le pays des larmes. Avant l'enterrement et après, elle a pleuré cette perte terrible. Toutefois, elle n'a pas pleuré son mari comme une victime, mais avec une profonde gratitude pour les vingt-cinq années de vie commune et avec l'intime conviction qu'elle allait atteindre l'autre rive de son chagrin – ce qui à terme est arrivé. Aujourd'hui, elle est à nouveau mariée et heureuse avec son conjoint. Au fond de son cœur, elle sait que son mari a tenu la promesse qu'il lui avait faite avant de mourir : de lui envoyer quelqu'un d'extraordinaire à aimer. Le paradis sur terre, c'est de faire entrer l'*ananda* dans nos vies, quels que soient les événements extérieurs.

Dans tous mes livres et dans toutes mes cassettes audio, je parle du voyage spirituel. Attention : il n'est écrit nulle part que ce voyage spirituel doit être sombre et dépourvu de joie ! Au contraire : j'ai constaté que la caractéristique universelle commune à toutes les personnes d'une grande spiritualité est leur extraordinaire sens de l'humour. Ils ont appris la sagesse du rire et de la légèreté.

Récemment, j'ai entendu une interview d'un guide spirituel. Pendant tout l'entretien, il a ri et pouffé. Il avait l'air de beaucoup s'amuser. Au début, il m'a paru un peu ridicule, mais très vite, je me suis mise à pouffer et à rire avec lui. Le pauvre journaliste, plutôt sombre et austère, ne savait que faire de tout ce bonheur et de toute cette légèreté. Au cours de l'interview, c'est lui qui s'est mis à paraître un peu ridicule ! La légèreté du maître spirituel et la pesanteur du journaliste étaient littéralement palpables. Comme leur expérience de la vie devait être différente !

Je pense que si on nous demandait, au cours des dernières phases de notre existence, si nous avons des regrets, nous serions nombreux à répondre : « Mon plus grand regret est de ne pas avoir suffisamment profité de la vie.» J'ai été très touchée par les paroles de Nadine Starr, une femme de quatre-vingt-cinq ans, qui a dit : « Si je devais recommencer ma vie à zéro, je commencerais à porter des chaussures nu-pieds plus tôt au printemps et je les garderais plus tard en automne. J'irais danser plus souvent. Je ferais davantage de tours de manège. Je cueillerais davantage de pâquerettes.»

Que changeriez-vous si vous pouviez recommencer votre vie ? Même si vous êtes très jeune, cette question mérite d'être posée. Je pense que, comme Nadine Starr, vous choisiriez de jouer davantage, d'apprécier davantage la vie et de rire davantage. Alors, pourquoi ne pas commencer tout de suite ? Dans *Osez le grand amour*, au chapitre 9, j'ai dit combien il est important de trouver un but à sa vie supérieure, une raison de vivre qui supplante toutes les autres. Le but de la vie supérieure transcende tous les buts du moi inférieur liés à l'obtention de choses extérieures, comme l'argent, les enfants, le couple, une silhouette sexy, une maison, une voiture, etc. Si toutes peuvent apporter du plaisir, elles ne comblent pas le vide intérieur dû à l'absence de but émanant du moi supérieur.

Voici les trois buts émanant du moi supérieur que je me suis fixés, au fil des ans :

Apprendre et enseigner l'amour.
Ouvrir mon cœur.
Donner au lieu de recevoir.

Aujourd'hui, je me suis fixé un nouveau but émanant du moi supérieur, avec l'espoir qu'il gouvernera ma vie pour de nombreuses années. C'est...

Lâcher prise, m'alléger, rire davantage, jouer davantage et embrasser pleinement mes expériences de la vie.

Peut-être qu'à long terme, notre seule raison d'être est de nous aimer mutuellement, de profiter les uns des autres, et de danser (spirituellement) nuit et jour.

J'en suis arrivée à la conclusion que savoir jouir de la vie est véritablement un cadeau des dieux, et qu'il est de notre devoir d'embrasser l'existence, les bras grands ouverts. Après tout, il serait insultant pour les dieux que nous ne le fassions pas! Par conséquent, souriez, riez et sautez de joie. Mettez-vous en mode «bonheur» et voyez l'exquise énergie de la félicité rayonner à travers votre être pour atteindre le monde qui vous entoure.

CHAPITRE 18

Faites confiance
au Grand Dessein

« Seigneur, donnez-moi de la patience, tout de suite ! » (Jann Mitchell[1])

Oui, maintenant ! Tout de suite ! Comme nous sommes impatients (et puérils !) en matière de développement spirituel… Cette impatience nous rend durs avec nous-mêmes, durs avec les autres, durs avec Dieu. Manifestement, maîtriser l'art de la patience est essentiel pour qui entend déposer les armes et se réconcilier avec la vie.

J'aimerais vous livrer quelques pistes afin d'atténuer votre frustration lorsque les choses ne se passeront pas comme vous le souhaiteriez, lorsque vous aurez le sentiment de ne pas progresser suffisamment pour permettre à vos blessures de cicatriser ou lorsque vous aurez l'impression d'avoir accompli un important travail mais qu'il ne se passe rien. Permettez-moi d'abord de vous rappeler les caractéristiques de la croissance spirituelle.

....

1. Jann Mitchell, *Codependent for Sure: An Original Jokebook*, Kansas City, Missouri, Andrews and McMeen, 1992, p. 94.

LA CROISSANCE SPIRITUELLE EST LENTE. Je ne connais pas de solutions express. Oui, il existe des outils rapides et faciles à utiliser, qui sont toutefois destinés à servir une vie entière. Parfois, des révélations fulgurantes se produisent en un clin d'œil. Mais elles sont généralement le fruit d'années de quête consciente ou inconsciente.

QUAND NOUS AVONS L'IMPRESSION QU'IL NE SE PASSE RIEN, EN RÉALITÉ, DES CHOSES SE PASSENT. Il existe toujours un monde invisible fait d'énergie en mouvement, en nous et autour de nous. L'ingrédient essentiel permettant de se sentir en paix pendant qu'œuvrent ces forces invisibles, c'est la confiance.

LA CROISSANCE SPIRITUELLE N'EST PAS LINÉAIRE. Elle est faite d'accélérations, de plateaux et de régressions. Rien ne sert de le déplorer, c'est ainsi que cela fonctionne. Vous ne pourrez rien y changer. Prenez les choses comme elles sont.

LA CROISSANCE SPIRITUELLE N'EST JAMAIS ACHEVÉE. Ce qui signifie qu'il reste toujours beaucoup à apprendre. Le processus n'est jamais clos.

La croissance spirituelle n'est pas une destination. C'est un processus éternel d'apprentissage, d'expansion, d'exploration et de découverte. Ce qui signifie qu'en se focalisant sur la destination finale, on fait erreur.

Affichez ces quatre phrases à portée de vue : elles vous apporteront sans doute du réconfort au cours de ces périodes mouvementées où l'impatience viendra entamer votre sérénité.

La nature nous enseigne la patience, en incarnant magnifiquement les caractéristiques de la croissance spirituelle. L'hiver dénude les plantes et les arbres, qui semblent sans vie. Et au moment précis où nous nous disons que jamais le printemps ne reviendra, un miracle se produit : un minuscule bourgeon apparaît sur l'un des arbres dégarnis. Petit à petit, pas à pas, grâce à la chaleur du soleil et à la pluie, tout s'éveille à la vie. Puis soudain, la profusion miraculeuse de l'été est là. Tout est vivant.

Dahlias et cosmos se dressent à un mètre cinquante de haut, les roses s'épanouissent en fleurs de dix centi-mètres de diamètre, les branches de glycine montent, descendent et partent de toutes parts, les arbres portent des fruits. Au cœur de l'hiver, qui aurait cru que de telles splendeurs allaient jaillir de terre ?

Puis vient l'automne. Les tons or, orange et rouges magnifiques nous éblouissent, tandis que les rayons du soleil embrasent les feuillages. Nous regardons les feuilles tomber les unes après les autres, marquant une nouvelle saison du cycle de la vie. Bientôt, l'austérité de l'hiver sera de retour – un peu comme si les arbres et les fleurs « retournaient à la montagne » pour s'y retirer et attendre que revienne le temps de l'épanouissement. La nature nous apprend à lâcher prise et à laisser les événements se produire en temps voulu, simplement en voyant émerger les graines enfouies dans le sol, pour donner naissance à des merveilles. En voyant le soleil succéder à la tempête, et la tempête succéder au soleil, nous découvrons que la roue tourne. L'observation des rythmes, des cycles, du flux et du reflux, de l'harmonie et des interactions de tous les éléments de la nature nous apprend qu'il y a des hauts et des bas. Même les personnalités les plus cyniques ne peuvent qu'être éblouies…

Vous découvrez tout cela en ouvrant véritablement les yeux. L'observation des cycles de la nature nous apprend tout ce qu'il faut savoir sur la croissance, et fait disparaître notre impatience – du moins pour un temps.

N'oublions jamais que nous sommes partie intégrante de la nature, une vérité fondamentale qui semble nous avoir échappé. Il est bien difficile de s'en souvenir dans un monde instantané, où tout s'est accéléré à une vitesse inimaginable. Or l'Homme n'est pas un être instantané. C'est de là que provient en grande partie la confusion. Oui, quantité de choses peuvent être faites rapidement. Mais en matière de croissance spirituelle, la progression s'effectue lentement. C'est ainsi.

La nature nous enseigne également de nombreux principes de confiance. Comme je l'ai dit plus haut, la confiance est un facteur essentiel pour maîtriser son impatience. En réalité,

L'impatience est synonyme d'un manque de confiance !

La nature nous apprend qu'en nous et autour de nous existent des forces invisibles que nous pouvons utiliser pour nous aider dans notre périple. Plantons nos graines et entretenons le jardin de la vie, et les forces invisibles feront leur œuvre, comme elles le font dans la nature.

Pour exercer votre patience, semez quelques graines dans un pot det observez ces petits riens se transformer en merveilles, par exemple en fleurs somptueuses. Ce processus tout simple contribue à nous donner confiance dans la force vitale. Chaque jour, en arrosant et en prenant soin du symbole de la force vitale présente en vous et autour de vous, prononcez l'affirmation suivante, pour bien assimiler le message de confiance :

La force vitale est à l'œuvre, elle fait pousser ma plante et elle irradie de la beauté en ce monde. La force vitale œuvre aussi pour me faire grandir et irradier de la beauté en ce monde. En donnant de l'amour, de la nourriture et de la lumière à mes plantes, je m'engage à remplir ma vie d'amour, de nourriture et de lumière. J'ai confiance : en agissant ainsi, la lumière du moi supérieur jaillira au bon moment et me montrera la voie.

Ce rituel tout simple nous rappelle de nous en remettre à notre moi supérieur ou à une puissance supérieure (ou aux deux). Au début, il est possible que nous le fassions, avant de nous raviser. Il faut s'entraîner, longtemps, à s'en remettre à ces entités supérieures, jusqu'à ce que la tentation de se raviser disparaisse. Alors, le véritable sens du mot « paix » apparaît.

Ce qui empêche l'être humain d'avoir confiance, c'est bien évidemment le moi inférieur. La voix intérieure négative, émanant du moi inférieur, nous prive de notre paix. Lorsqu'elle se fait entendre, il est utile de prononcer quelques affirmations qui remplaceront cette négativité par des pensées apaisantes de puissance et d'amour. Comme, par exemple,

Tout se passe pour le mieux, dans mon intérêt supérieur. Quoi qu'il arrive dans ma vie, je saurai gérer. J'ai fait de mon mieux, et je lâche prise quant au résultat.

En répétant régulièrement ces affirmations, un sentiment de calme vous submergera. Cela signifie que votre moi supérieur, votre source de puissance et d'amour, est passé au premier plan. Or c'est dans le moi supérieur que s'épanouit la confiance.

Vous voyez combien la nature est une formidable source d'enseignements en matière de patience et de confiance. Il y a peu de temps encore, je ne comprenais pas pourquoi les Hommes font grand cas de la nature. Je me disais : « Quand on a vu un bel arbre, on les a tous vus. » Puis j'ai fini par m'arrêter pour ouvrir les yeux et là, la splendeur et le mystère de la nature m'ont submergée. La nature me rappelle aussi la splendeur et le mystère du lieu où je demeure sur cette planète.

Pour maîtriser l'art de la patience, je ne saurais que trop vous conseiller l'étude des enseignements du tao. De toutes les philosophies orientales, c'est le taoïsme qui est le plus riche en enseignements sur la patience. C'est dans le tao que le taï chi et d'autres disciplines rappelant à l'Homme sa véritable nature puisent leurs racines. Ses principes sont dérivés du *Tao Te Ching*, écrit voici plus de vingt-cinq siècles par Lao Tseu. Diana Dreher nous explique que : « Le tao enseigne la patience, la précision et le choix du moment juste. C'est en se détachant des problèmes qu'on trouve les solutions. Nous apprenons à ne plus résister et à flotter avec les schémas de la nature, faisant entrer davantage de joie et d'harmonie dans nos existences[1]. »

Le tao nous apprend que tout, dans la vie, est un processus. L'impatience ne sert à rien, puisque nous ne pouvons changer les rythmes, les schémas, les cycles inhérents au vivant. L'impatience n'apporte que de la frustration.

Une autre manière de faire entrer de la patience dans votre existence consiste à vous considérer comme un PERPÉTUEL DÉBUTANT. C'est le seul domaine où il vaut mieux être un débutant qu'un expert ! Si l'être humain s'envisageait véritablement comme un débutant perpé-tuel, il comprendrait automatiquement qu'il a toujours quantité de choses à apprendre. Il comprendrait automatiquement qu'il ne tombe pas toujours juste. Il comprendrait automatiquement que la voie n'est pas

1. Diana Dreher, *The Tao of Inner Peace*, New York : Harper, 1990, p. xiii.

toujours droite. Il comprendrait qu'il ne peut s'attendre à être parfait. Par conséquent,

En nous envisageant comme des débutants perpétuels, nous serions beaucoup plus indulgents avec nous-mêmes.

Nous nous verrions comme de jeunes enfants qui apprennent et grandissent, petit à petit. Nous serions aussi beaucoup plus indulgents avec les autres, en comprenant qu'eux aussi sont des débutants perpétuels, et qu'ils ne tombent pas toujours juste. W. Dean La Douceur a pleinement assimilé ce message au cours d'un de mes séminaires, et il a écrit un magnifique poème, qu'il a eu la gentillesse de me permettre de vous faire découvrir. Ses mots illustrent parfaitement mon propos.

DES PAS DE BÉBÉ[1]

« des pas de bébé. des petits pas personnels, progressifs. les yeux ouverts. des pieds qui me font avancer. aller dans une nouvelle direction.

des pas de bébé. des pieds tout doux. des chaussures neuves. des genoux qui tremblent. un progrès.

....

1. Reproduit avec l'autorisation de W. Dean La Douceur, consultant et président de LBDS à Troy, Michigan, une société de services en marketing et en communication.

des pas de bébé. besoin d'avancer précautionneusement. avancer avec grâce. avancer avec courage. avancer dans une nouvelle direction. avancer contre le vent. bouger comme je n'ai jamais bougé. bouger et tout va bien.

des pas de bébé. toucher doux et léger. poids doux et léger. mouvements doux et légers. sens doux et léger. peur douce et légère. puissance douce et légère.

des pas de bébé. l'instant magique dans ma vie, au présent, où les hanches bougent, les genoux faibles deviennent solides, et où je suis capable de dérouler toute ma jambe dans une direction précise, choisie, sans peur, ni chaines, ni entraves, ni cordes, et je bouge rapidement et alternativement mes jambes, mes pieds, mes genoux et mes chevilles, dans un même processus émotionnel, physique, biochimique et spirituel, jusqu'à ce que j'atteigne de l'élan, de la force, de la puissance, de la vitesse et de la lumière.

des pas de bébé. je regarde en arrière pour voir le trajet accompli. je me souviens de la peur surmontée. je me souviens des obstacles franchis. je me plonge dans l'esprit victorieux. je sens l'élan joyeux.

des pas de bébés. sourire. partager. avancer. grandir. fleurir. aimer. célébrer. s'arrêter.

bientôt reviendra le temps de faire des pas de bébé. »

Comme c'est magnifique! Le poème de Dean souligne superbement, avec douceur, que la vie est faite de petits pas de bébé qui nous portent vers de nouvelles aventures. Toutefois, les pas de bébé ne s'arrêtent jamais. Nul n'est jamais arrivé. Il reste toujours de nouvelles choses à apprendre.

Comme je l'ai dit plus haut, on nous chante les louanges de remèdes rapides, mais je sais qu'ils n'existent pas. Si jamais j'en découvre, je vous le ferai savoir, promis! En attendant, apprenons à être heureux grâce à nos pas de bébé. Et si nous parvenons à sauter de joie à chaque petit pas en avant, le trajet sera magnifique!

Autre chose: en progressant à pas de bébé, vous constaterez que le voyage spirituel comporte différentes étapes de compréhension. Vous verrez qu'au début, on SAIT, sur le plan intellectuel, mais on ne SENT pas encore sur le plan émotionnel. Vous connaissez une vérité, mais vous avez le sentiment de ne pas réussir à la faire fonctionner dans votre existence. Par exemple, vous comprenez le concept du LÂCHER PRISE, mais vous continuez à vous agripper. Pas de découragement: vous êtes sur la bonne voie!

J'ai entendu des gens suivant les enseignements de grands maîtres exprimer leur déception en découvrant qu'il règne dans la vie de leurs enseignants la même pagaille que dans les leurs. Autrement dit, ils ne «suivent pas leurs propres enseignements». Ne soyez pas déçu si vous faites une découverte similaire! J'ai côtoyé de grands maîtres qui continuent à conduire leurs vies depuis le niveau intellectuel. Autrement dit, ils savent, sur le plan intellectuel, ce qu'est la vérité spirituelle. Simplement, ils n'ont pas encore assimilé ces vérités extraordinaires. Leur moi inférieur, siège de l'ego, de la cupidité et de la peur, les empêche d'y parvenir – ce qui ne rend pas leurs enseignements moins intéressants pour autant.

Lorsque j'ai commencé à enseigner, je ne sentais pas encore, mais je savais. Ne dit-on pas que c'est ce qu'on a le plus envie d'apprendre qu'on enseigne le mieux ? Cela me fait penser à une magnifique anecdote que raconte Marilyn Ferguson, l'auteur des *Enfants du verseau*[1]. Un professeur raconte comment il a appris un nouveau concept à ses élèves. « Je leur ai expliqué une fois ; ils n'ont pas compris. Je leur ai expliqué deux fois ; ils n'ont pas compris. Je leur ai expliqué trois fois, et là, moi j'ai compris. »

C'est la répétition des concepts et l'utilisation répétée des outils qui m'ont permis de comprendre nombre d'entre eux sur le plan émotionnel – pour ceux qui restent, j'ai encore du chemin à parcourir. C'est pour cela que mon mari me taquine lorsqu'un problème donné me donne du fil à retordre. « Tu devrais lire ton livre ! » me conseille-t-il. Il a raison. Il y a certaines choses que j'ai encore besoin de me répéter.

....

1. Calmann-Lévy, 1994.

Après avoir passé un certain temps à savoir sans sentir, vous verrez apparaître des éclairs de clarté dans votre vie quotidienne. Au début, vous ne parviendrez pas à faire durer cette clarté. Pour en revenir à l'exemple précédent, vous remarquerez que vous arrivez à LÂCHER PRISE dans certains domaines de votre existence, à certains moments. C'est un progrès considérable. Là encore, la répétition des différents outils spirituels disponibles et la persévérance permettent de modifier l'équilibre. La clarté gagne du terrain, et la confusion diminue.

Arrivera un moment où vous aurez le sentiment de vivre en ayant parfaitement compris. Toutefois, il est possible que votre regard ne soit pas objectif. Un indice révèle que vous n'avez pas encore totalement assimilé les enseignements : les jugements catégoriques et péremptoires que vous portez sur ceux qui n'ont pas les mêmes convictions que vous. Plus la part de clarté sera importante, moins vous serez catégorique et péremptoire.

Au cours de la croissance spirituelle, un autre phénomène se produit : la voix du moi supérieur devient plus forte, mais celle du moi inférieur aussi. Par exemple, lorsqu'un sentiment de puissance se fait jour, il se peut que l'instant d'après, l'envie d'être pris en charge se manifeste. Le moi inférieur n'a aucune envie de baisser les bras ! Cependant, au bout d'un moment, le moi inférieur comprendra le processus en cours et il se retirera, permettant au moi supérieur de se faire entendre clairement et distinctement – du moins pour un temps.

Dans un premier temps, votre périple spirituel ne représentera à vos yeux qu'une petite partie de votre vie. Par exemple, vingt minutes de méditation ou de taï chi le matin. À terme, ces leçons marqueront en profondeur vos interactions avec autrui et le monde qui vous entoure. Et vous saurez que dans ce domaine spécifique de votre développement, vous accomplissez des progrès significatifs.

Nous sommes nombreux à remettre à plus tard le début ou la poursuite de notre périple spirituel. En effet, pour pouvoir aller de l'avant, nous devons abandonner des postures familières. Une perspective effrayante ! Même si ces postures n'apportent rien de bon, au moins savons-nous où elles nous mènent ! Car les mauvaises choses semblent moins effrayantes que l'inconnu. Par conséquent, nous nous trouvons des excuses pour ne pas aller de l'avant.

NOUS PRÉTENDONS ÊTRE TROP OCCUPÉS. Or, que pourrait-il y avoir de plus important que d'apprendre à vivre pleinement et joyeusement ? En outre, il existe quantité d'outils spirituels très faciles à intégrer à nos vies quotidiennes. C'est le cas des affirmations, qui ne prennent pas de temps. Il suffit d'intégrer à notre vie des pensées positives, là où les pensées négatives nous mettent le moral en berne !

NOUS NE SAVONS PAS COMMENCER, PARCE QUE TOUT VA MAL DANS NOS VIES. Saurait-on imaginer meilleur moment pour commencer? L'exemple le plus émouvant d'individus ayant entamé leurs périples spirituels à un moment où tout allait mal dans leurs vies nous vient d'un projet d'«ashram-prison», dont parle Bo Lozoff dans son ouvrage *Nous sommes tous dans une prison*[1]. Grâce à la méditation, des détenus, pour certains condamnés à perpétuité ou dans les couloirs de la mort, ont découvert un chemin spirituel qui a transformé une vie d'enfer en une existence plus proche du paradis.

C'EST TROP COMPLIQUÉ : NOUS NE SAVONS PAS PAR OÙ COMMENCER. Je vais vous couper l'herbe sous le pied, en vous montrant où commencer !

Le monde contemporain offre une grande diversité d'outils pour nous aider dans notre périple spirituel. Nous aimerions tous trouver un substitut de parent qui nous prendrait par la main pour nous montrer quel chemin emprunter. Malheureusement, personne ne sait ce qui est bon pour nous. Nous seuls pouvons le déterminer.

Et pour découvrir le chemin qui vous convient, il faut faire ces extraordinaires pas de bébé. Il faut faire des expériences, essayer différentes choses. Parfois, on aime ce que l'on découvre. Parfois non. Mais tout cela fait

1. Bo Lozoff, *Nous sommes tous dans une prison. Un guide pour se libérer*, Cabedita, 1995.

partie de ce banquet qu'on appelle la vie. Parfois, nous avons besoin de prendre goût à certaines choses qui ne nous plaisent pas d'emblée. Une fois dépassé l'inconfort initial, il est fréquent que nous y prenions goût. Parfois, ce n'est pas le cas. Il faut alors essayer autre chose.

Notre démarrage sur un chemin spirituel peut se faire de manière très simple, en entrant dans une librairie et en cherchant dans les rayons Développement personnel, New Age et Psychologie. Choisissez un livre qui vous parle ou qui attire votre attention. Votre entrée sur le chemin spirituel peut aussi se faire par le biais du bénévolat, par exemple en aidant à la préparation de repas pour les plus démunis. Ou bien par la méditation, si vous ressentez le besoin d'apaiser votre esprit. Ou bien encore par l'écoute de cassettes d'autosuggestion, pour faire taire votre voix intérieure négative. Ou bien par tout cela en même temps.

Toutes ces possibilités constituent des points d'entrée pour une autre manière de voir. Écoutez votre cœur à vous, et celui de personne d'autre. Vous verrez qu'une avenue mène à une autre, qui à son tour débouche sur une troisième. Simplement, souvenez-vous que les enseignements se cachent partout autour de vous. Il suffit de se lancer et de faire le premier pas – un premier pas qui peut être très simple. Ne vous mettez pas sous pression. Écoutez-vous. Demandez à votre moi supérieur de vous montrer la voie. Et suivez ses indications.

Je vous conseille de commencer avec les outils spirituels qui vous paraissent abordables. Au début, j'avais infiniment de mal à apaiser mon esprit. Je n'ai donc pas entamé mon périple spirituel par la méditation. J'étais plutôt attirée par les affirmations, les visualisations guidées, les livres et les séminaires. Ce n'est que dans un second temps que la méditation m'a intéressée, une fois que j'étais «prête». Par conséquent, au début, étudiez ce qui vous attire.

Certaines personnes tenteront peut-être de vous expliquer que vous devriez procéder comme ceci ou comme cela. Pour vous, il n'y a qu'une manière de faire : la vôtre. Attention : cela ne signifie pas qu'il ne faut pas tenir compte des conseils de vos enseignants. Ils peuvent nous diriger dans quantité de directions que nous n'aurions jamais prises sans leurs conseils. Simplement, c'est à vous de faire le tri et de décider ce qui porte ses fruits pour vous et ce qui ne fonctionne pas, et pour combien de temps. Lorsque je suis les enseignements d'un nouveau professeur, c'est dans l'idée de retenir ce qui marche pour moi et de laisser le reste de côté. Abordez vos enseignants, moi y compris, de cette manière. Prenez ce qui vous parle et laissez le reste de côté.

Si certaines personnes tentent de vous imposer leurs points de vue, ne vous braquez pas. Contentez-vous de répondre : «Merci de me faire part de vos idées», puis continuez à faire ce qui, à vos yeux, porte ses fruits. Dans certains cas, cela demande beaucoup de courage. TREMBLEZ MAIS OSEZ FAIRE CE QUI VOUS PARLE ! Si vous tombez sur quelqu'un (ou sur un groupe) qui vous dit : « Voilà la seule manière de faire », tournez les talons et prenez vos jambes à votre cou. Quantité de chemins conduisent à votre cœur, à l'amour, à la confiance, à la paix, à Dieu.

Dans notre périple, tous ceux ou tout ce qui nous aide peuvent nous apprendre des choses. Cela peut être notre enfant, un coucher de soleil, une cassette, un livre, une fleur, une maladie ou quoi que ce soit d'autre qui s'offre à nous dans la vie quotidienne. Les enseignants nous indiquent la bonne direction. Ensuite, à nous de faire les pas en avant nécessaires.

Beaucoup de gens placent leur vie entre les mains de « gourous », supposés avoir atteint l'illumination. Par définition, cela ne fonctionne pas. Tout d'abord, on peut se demander s'il existe vraiment des gens ayant atteint l'illumination. (Là aussi, si j'en trouve, je vous le ferai savoir !) Par ailleurs, à chaque fois que nous plaçons nos vies entre les mains d'autrui, nous renonçons à notre pouvoir, le pouvoir de forger une vie qui fonctionne authentiquement pour l'être humain que nous sommes.

Comme je n'ai jamais rencontré quiconque ayant atteint l'illumination, je considère que le gourou n'est pas une réalité, mais un modèle vers lequel tendre. Par exemple, pour moi, la sculpture du Bouddha souriant qui trône sur mon bureau est un modèle pour un état de joie, de conscience et de simplicité pure. Peut-être ne les atteindrai-je jamais, mais le simple fait de voir son visage chaque matin m'indique la bonne direction. J'ai décidé de ne pas chercher à atteindre l'état de grâce spirituelle dont son visage rayonne. Si j'y parviens, c'est formidable. Dans le cas contraire, c'est tout aussi formidable. Je prends plaisir aux pas de bébé du périple.

Une fois que vous aurez trouvé une méthode de croissance spirituelle qui vous parle, comme la méditation ou le taï chi, faut-il s'y tenir ou en essayer d'autres ? Là encore, à vous de voir. Pour ma part, j'aime essayer différentes méthodes, aussi bizarres soient-elles. Je suis allée en Inde avec un moine jaïn et certains de ses disciples. Je suis allée aux pyramides d'Égypte avec un groupe d'adeptes de la méditation. J'ai étudié les visualisations, le travail corporel, la thérapie par le cri, les incantations, les philosophies orientales, etc., dans quantité de groupes différents. J'ai beaucoup aimé ce processus d'exploration. Au final, ces expériences semblaient s'inscrire dans un tout. Un jour, je trouverai peut-être une méthode à laquelle je choisirai de me tenir, au détriment de toutes les autres. Seul l'avenir le dira.

Certaines personnes critiquent ce papillonnage, jugeant préférable de s'en tenir à une méthode. C'est l'approche qui porte ses fruits dans leur cas. Cependant, le but est de découvrir ce qui vous convient et de suivre cette approche. Si vous trouvez une méthode de croissance spirituelle qui fonctionne pour vous et si vous souhaitez l'approfondir, allez-y. Si vous pensez avoir essayé une méthode qui vous a beaucoup apporté, tout en ayant le sentiment qu'il est temps de passer à autre chose, faites-le. Vous reviendrez peut-être à cette première méthode par la suite. Et si vous avez le sentiment qu'une méthode ne fonctionne absolument pas pour vous, dès le début, passez à autre chose.

Faites-vous confiance pour choisir ce qui vous convient à un moment donné de votre parcours.

Vous avez du mal à déterminer si une méthode vous convient? Interrogez votre moi supérieur. ENSUITE, SOYEZ ATTENTIF! Trop souvent, nous n'écoutons pas notre intuition. Un excellent moyen de savoir si vous êtes sur la bonne voie consiste à vous demander : « Est-ce que cette voie a du cœur? Est-ce que ce que j'essaie de faire apporte davantage d'amour et d'affection en ce monde? »

N'ayez pas peur de vous engager sur la mauvaise voie. Cela arrive parfois. Si nous tirons les leçons de nos erreurs pour évoluer, il ne s'agit pas d'erreurs. Nous apprenons des leçons à chaque pas du cheminement. Tous les aspects de notre vie peuvent contribuer à l'épanouissement de la part spirituelle de notre être et à l'enrichissement de notre existence. Quel soulagement! Nous n'avons pas besoin de connaître toutes les réponses. Nous n'avons pas besoin d'essayer de décrocher un 20/20, comme à l'école. Nous n'avons pas besoin d'avoir peur de nous tromper. D'ailleurs, dans *Tremblez mais osez!*, je rappelle à mes lecteurs :

Si vous n'avez pas commis d'erreurs récemment, c'est que vous faites fausse route!

Les erreurs prouvent que le processus d'apprentissage est en cours, que nous grandissons, que nous faisons des expériences et que nous évoluons. Or on ne tombe pas toujours juste.

Souvenez-vous aussi qu'un sentiment de contrariété ne signifie pas forcément que vous faites fausse route, mais simplement qu'un changement est en train de se produire. Le changement apporte généralement de la confusion. Puis la clarté revient, du moins pour un temps, jusqu'au prochain changement, qui nous plongera à nouveau dans un état de confusion. Confusion, clarté, confusion, clarté, confusion, clarté : voilà, semble-t-il, le cycle de la croissance. Autrement dit, la confusion n'est pas une mauvaise chose !

Permettez-moi de tordre le cou à une idée reçue sur la croissance spirituelle qui consiste à dire : « Lorsqu'on évolue spirituellement, rien de mauvais ne peut arriver. » Cette idée reçue suscite un sentiment de culpabilité lorsque de « mauvaises choses » se produisent, comme si nous avions fait quelque chose de mal. Je ne crois absolument pas à cette idée. Au contraire, je crois que…

De « mauvaises » choses arrivent à tout le monde, qu'on soit en train d'évoluer spirituellement ou non.

Toutes les vies sont marquées par la mort, la maladie, la confusion, les conflits, etc. C'est dans la nature de la vie sur cette planète. Ce qui est vrai, c'est que…

Lorsqu'on a évolué spirituellement, on est mieux à même de faire face à ce que l'existence nous réserve.

C'est tout l'enjeu du travail consistant à déposer les armes pour se réconcilier avec la vie, l'idée étant d'arriver à gérer avec amour et puissance tout ce qui nous arrive, fort de la conviction que nous en tirerons une merveilleuse sagesse. L'individu qui a la patience de se dire : « Voyons voir, je me demande ce que cette expérience va m'enseigner » parviendra à vivre dans un esprit d'aventure et de découverte du mystère, plutôt qu'avec un sentiment de peur, de désarroi et d'impatience.

À terme, nous apprenons qu'il n'existe pas de raccourcis. Le processus doit suivre son cours et il n'y a pas grand-chose à y faire. Nous aimerions tous que l'évolution soit rapide et facile, mais, en matière de spiritualité, la vitesse ne fonctionne pas. La croissance spirituelle implique un changement profond, au tréfonds de notre être. C'est un processus de toute une vie.

Joe Hyams, expert en arts martiaux, nous livre la formule qu'un de ses enseignants lui a confiée : « S'octroyer du temps permet de travailler activement en direction d'un but, sans se fixer de limite sur la durée de ce travail[1]. »

....

1. Joe Hyams, *Zen in the Martial Arts*, New York : Bantam Books, 1979, p. 16.

J'aime bien cette idée. Dans un monde fait de stress et de délais à tenir, il est magnifique de savoir qu'il y a un domaine dans notre vie où il vaut mieux ne pas se presser, celui de la croissance spirituelle. Hyams raconte un joli conte qui illustre la différence entre l'idée contemporaine du dépassement de soi et la sagesse ancestrale de l'authentique maîtrise. Imprégnez-vous bien de la signification de cette histoire.

« Un jeune garçon traverse le Japon pour venir étudier auprès d'un célèbre maître en arts martiaux. Le maître lui demande ce qu'il souhaite. Le garçon lui répond qu'il veut devenir le meilleur expert en arts martiaux de tout le pays et lui demande combien de temps il doit étudier pour cela. "Dix ans au moins", répond le maître. "Mais si j'étudie deux fois plus que tous vos autres élèves ?" demande le jeune garçon. "Vingt ans", répond le maître. "Vingt ans ! Mais si je m'entraîne nuit et jour, de toutes mes forces ?" "Trente ans", répond le maître. Le garçon est déconcertancé. "Comment se fait-il qu'à chaque fois que je dis que je travaillerai plus dur, vous me répondez que cela prendra plus longtemps ?", demande le garçon. "La réponse est simple. Lorsque tu as un œil rivé sur ta destination, il ne te reste plus qu'un œil pour trouver la Voie."[1] »

---

1. *Ibid.*, p. 87.

Quelle belle histoire! Comment peut-on regarder en pleine conscience et en profondeur avec un œil rivé sur le but? Comment peut-on maîtriser l'art du lâcher prise avec un œil rivé sur le but? Comment peut-on apprendre à embrasser toute la beauté de l'existence avec un œil rivé sur le but? La réponse est simple: c'est impossible. Par conséquent, décidez de fixer vos deux yeux sur le processus et oubliez le but! Je le sais, cette démarche est en totale contradiction avec tout ce que vous avez appris jusqu'à présent, mais, dans le domaine de la croissance spirituelle, vous êtes entré dans une dimension totalement nouvelle de l'être. Lorsque vous aurez cessé de penser que vous devez tout faire, tout de suite, ou même au cours de votre existence, votre impatience se dissoudra dans le doux flux qui constitue le rythme naturel de la vie. En poursuivant notre périple pas à pas, vers l'intérieur et vers le haut, en direction du meilleur de notre être, la vie devient meilleure.

Des questions surgiront toujours. Ne vous minez pas à chercher les réponses. Beaucoup de questions n'ont pas de réponses. Lorsque le moi inférieur, méfiant, veut savoir pourquoi, répondez-lui simplement: «parce que». Vous n'avez pas besoin de fournir d'autres explications. De la perspective du moi supérieur, tout est une question de confiance. Peut-être découvrirez-vous un jour des réponses, peut-être pas. En réalité, cela n'a pas d'importance. Lorsqu'il y a de la confiance, votre vie fonctionne magnifiquement, que vous connaissiez les réponses ou non.

Au cours de mon existence, j'ai trouvé beaucoup de réponses, mais il me reste beaucoup de questions. Aujourd'hui, découvrir les réponses ne me semble plus aussi important. Ayant davantage confiance dans le Grand Dessein, je sais que tout arrive pour le mieux, au bon moment, et de la bonne manière. Et j'ai appris à vivre en paix avec cette idée.

Désormais, rien ne saurait vous arrêter !

Dans cet ouvrage, je vous ai présenté quantité d'idées, toutes destinées à vous montrer que vous avez le pouvoir de créer dans votre vie des moments exquis, de plus en plus nombreux. Ces moments exquis vont de pair avec une confiance intérieure – confiance dans le processus, confiance en vous, dans le divin mystère de tout l'existant.

Vous méritez le meilleur de ce que la vie a à offrir. Et il est rassurant de savoir que vous n'avez pas besoin de sortir de vous-même pour le découvrir. Il se trouve au sein de votre être. Le meilleur, c'est votre moi supérieur, la partie de votre être qui envisage tout comme une aventure glorieuse, qui embrasse l'abondance des cadeaux situés sous vos yeux, qui voit le miracle de tout cela et qui est reconnaissante, qui sait que vous êtes un élément significatif du Grand Dessein.

La chose la plus importante que vous puissiez accomplir pour vous-même est de suivre la voie qui vous conduira au meilleur de ce que vous êtes. Découvrir l'immense gisement de puissance et d'amour qui se cache en vous, voilà le secret pour réussir à déposer les armes et à se réconcilier avec la vie. Par conséquent,

ENGAGEZ-VOUS dans ce magnifique voyage de découverte! N'oubliez pas que…

Cet engagement donne naissance à une énergie puissante et rayonnante, qui active toutes sortes de «miracles» en vous et autour de vous.

J'ai vu ces miracles se produire dans ma vie, et ils se produiront dans la vôtre. Croyez-moi: une fois que vous aurez pris l'engagement de vous forger une vie de confiance, de paix, de beauté, de légèreté, d'abondance, d'amour et de joie, RIEN ne pourra vous arrêter!

Embrassez le périple…
Embrassez ce que vous êtes…
Embrassez tout l'existant…

De tout cœur
Susan Jeffers

Table des matières

Remerciements 11

Voir au-delà des mauvaises nouvelles................................13

PREMIÈRE PARTIE
ÉLEVEZ-VOUS AU-DESSUS DES NUAGES

1. Quelque chose de merveilleux au sein de votre être..........21

DEUXIÈME PARTIE
LIBÉREZ-VOUS

2. Lâchez prise...37

3. Redescendez de l'échelle qui mène au désespoir 47

Concentrez-vous sur le processus plutôt que sur le résultat 55

Dites non à l'aliénation induite par la concurrence 60

Se concentrer sur la joie intérieure et sur la satisfaction 68

4. Tremblez mais n'agissez pas ! 73

Lâchez prise et renoncez à votre addiction au travail 74

Lâchez prise et renoncez au désir d'être parfait 86

5. Débarrassez-vous de votre excédent de bagages 91

Coupez la corde 92

Oubliez les « Il faudrait faire ceci »
et les « Il ne faudrait pas faire cela » 99

Renoncez au besoin de tout savoir 103

Débarrassez-vous de l'excédent de bagage matériel 106

6. Soyez confiant dans l'avenir 115

7. Laissez faire la vie, tout se passera très bien 135

Lâchez prise pour les choses importantes 142

8. Sentez-vous en sécurité dans un monde dangereux 155

9. Trouvez la beauté au pays des larmes 165

TROISIÈME PARTIE

RÉCONCILIEZ-VOUS AVEC LA VIE

10. Concentrez-vous sur les richesses 191

11. Regardez en pleine conscience,

regardez en profondeur..195

Regardez en pleine conscience 198

Regardez en profondeur 204

12. Éveillez-vous à l'abondance 209

13. Écoutez le silence..235

14. Adressez-vous au patron 249

Les prières de confiance.. 252

Les prières de gratitude 255

Les prières de communion 257

15. Trouvez votre lieu de pouvoir...261

16. Dansez la danse de la vie...281

17. Allégez-vous grâce au rire et à la joie.............................299

18. Faites confiance au Grand Dessein 315

Désormais, rien ne saurait vous arrêter!............................339

MARABOUT
s'engage pour l'environnement
en réduisant l'empreinte carbone
de ses livres.
Celle de cet exemplaire est de :
300 g éq. CO_2
Rendez-vous sur
www.marabout-durable.fr

PAPIER À BASE DE
FIBRES RECYCLÉES

Imprimé en Italie par Lego Lavis
Dépôt légal : février 2014
ISBN : 978-2-501-09394-1
4147914

Comment être plus serein, mieux
maîtriser votre existence et aborder
la vie avec enthousiasme.

La vie de chacun est émaillée d'épreuves
incontournables. Voici, pour vous aider sur ce
chemin, un ouvrage foisonnant de conseils et
de sources d'inspiration, associant réflexions
profondes et outils pratiques. Susan Jeffers
nous montre comment échapper à la peur, à
la détresse, à la colère, à l'impatience et à un
sentiment diffus de danger qui nous paralysent
pour embrasser les émotions joyeuses, celles qui
nous donnent des ailes : confiance, gratitude,
harmonie, abondance, amour et joie.

Susan Jeffers est docteur en psychologie. Parmi
ses nombreux ouvrages, Tremblez mais osez !
lui a valu une renommée internationale. Elle est
également l'auteur de Osez le grand amour.
Ces deux ouvrages sont parus chez Marabout.

marabout.com

41 4791 4
ISBN : 978-2-501-09394-1

3 € ,50
prix ttc France

motifs de couverture : atelierlzc.com

W8-AIC-097

9 782501 093941